김치 공장 블루스

<일러두기>

· 대화문의 생동감과 말맛을 살리기 위해 맞춤법과 다른 부분이라 해도 그 표현을 최대한 살렸으며, 비속어와 은어가 포함되어 있습니다.

김치 공장 블루스

김원재 지음

RHK
알에이치코리아

더 작은 세상으로

"당신은 서른여덟부터 재물 운이 크게 들어와.
이 운 쓰려면 어떡해야 돼?
미리 준비해야지.
평생 재물 운 안 들어오는 사람은 없어요.
다 그걸 못 쓰는 거야.
그러니까 이때. 딱, 이때부터 준비를 해야 돼."

나에게 큰 재물 운이 들었다.

그렇게 말씀하시는 사주 선생님의 목소리는 단호했다. 일필휘지로 짚어주신 '이때'는 내 나이 서른넷. 서른넷부터 준비를 해야 서른여덟부터 들어오는 금전 운을 쓸 수 있다. 나의 퇴사 예정일은 그렇게 정해졌다. 내년, 내가 서른네 살이 되는 해. 이름 대면 누구나 아는 광고회사에 다닌 지 10년 차 되는 해.

"너는 꿈을 이루었구나. 멋지다, 우리 딸."

엄마는 나를 이렇게 칭찬하곤 했다. 엄마가 말한 나의 꿈은 카피라이터였다. 나의 n번째 장래 희망이었다. 어쭙잖은 팬픽을 몇 번 써본 끝에 소설가를 포기한 뒤였다. 카피라이터는 '꿈'이라 말하기엔 남사스러웠지만, 글을 써서 대기업 월급을 탈 수 있는 직업이라니 '장래 희망'으로는 참 그럴 듯했다.

취업하기까지 남다른 고난과 역경 스토리는 없었다. 누구나 하는 만큼 고생했고, 딱 그만큼 맘도 졸였다. 그래도 내가 공연히 말하고 다니던 직업을 갖게 되었다는 것은, 그 회사가 누구나 아는 곳이라는 것은, 인정하기 싫지만 (특히 은행에 대출 서류를 낼 때) 든든한 버팀목이 되어주었다. 엄마의 말과 달리 어디 가서 '저는 꿈을 이뤘습니다' 말하기엔 남루한 성취였지만. 그런 회사에서 10년 근속 기념 선물을 받고 나서 퇴사했다면 그림이 참 예뻤을 텐데….

나는 해가 바뀌기도 전에 잘 다니던 광고회사를 때려치웠다.

엄마는 십수 년 전, 어느 날 갑자기 김치 공장을 세웠다. 그 전까지는 한 번도 사업을 해본 적 없었다. 땡빛으로 지은 공장이었다. 나는 아직도 그날을 후회한다. "원재야, 지금이라도 공장 그만할까?" 고3이었던 내게 사업 1년 차 엄마가 물었다. "엄마, 늦었어." 나는 무심히도 대답했다.

엄마는 지금도 종종 그날 이야기를 꺼낸다. 그때, 정말 '늦었구나' 생각했다고. 그때 그만뒀으면 몰랐을 것이다. 김치 공장이 얼마나 괴물처럼 돈을 잡아먹는지. 몇십억을 쏟아부어도 새로운 몇십억이 필요한 이 잔인한 돈 지옥을. 그러나 동시에 또 몰랐을 것이다. 맨손으로 무언가를 이루며 느끼는 희열을. 자기 자신을 넘어서는 더 큰 무언가를 빚어내는 기쁨을. 이렇게 무섭고 즐거운 희구의 세계. 나는 이제 그곳으로 간다.

인사팀에 퇴직 관련 서류를 모두 제출하고, 퇴사 메일을 쓰려고 메모장을 열었다. 고마운 것들, 배운 것들, 아쉬운 것들을 빠뜨림 없이 쓰고 싶다는 욕망이 들어 키보드를 두들겼다.

그러다 다 지웠다. 다 지우고 나니 한 문장이 남았다.

'더 작은 세상으로 갑니다.'

글로벌 본부의 카피라이터로 일하는 동안, 앞서 회사를 그만둔 동료들은 보다 넓고, 한 차원 높은 세상으로 갔다. 구글, 페이스북, 애플처럼 SNS 프로필에 걸면 폼 나는 회사들. 그러나 내가 앞으로 가야 할 곳은 작고, 또 오래된 세상. 4차 산업도, 뉴스감이 될 만한 사업도 아니고, 부러움을 살 만한 직장도 아닌 케케묵은 일. 김치를 만드는 일. 세상엔 이런 진로를 택하는 사람도 있다는 한 줄이면 되지 않을까. 작은 세상으로 가겠다는 말, 써놓고 보니 각오처럼 읽히기도 했다.

그리고 역시나 세상 모든 교훈적인 이야기가 그렇듯, 이 공장이 돌아가는 세상도 작지 않았다. 작은 세상이라는 게 있을까. 세상이라는 말에는 어떤 이의 전부가 담겨 있으니 말이다. 나의 전부가 이제 이 공장에 있는데 어떻게 이 세상을 작다고 할 수 있을까. 비단 나뿐만이 아니다. '공장'이라는 이 작은 두 음절로 이루어진 세상엔 자기 나름의 인생을 건 사람들이 있다. 비행시간만 여섯 시간이 넘는 먼바다를 건너와서 평생 먹어본 적도 없는 음식을 만드는 외국인들, 매일 새벽부터 밤늦게까지 배추와 무, 부추, 쪽파 같은 식탁에 쉽게 흘리는 부재료들을 정성스럽게 다듬는 사람들. 그들을 두고 그저 작다고 말하는 건 오만한 생각이지.

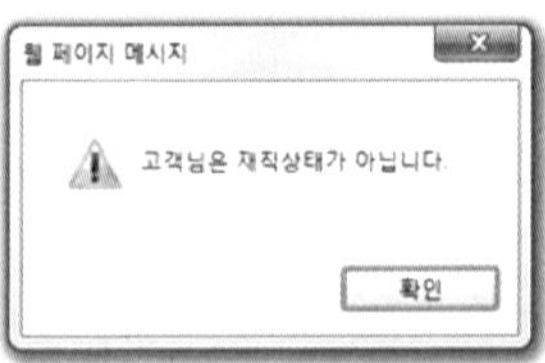

그런데 아뿔싸. 회사 시스템은 내 각오보다 빨랐다. 미적거리는 새 이미, 로그인을 할 수 없는 신분이 되었다. 비장한 마음으로 적은 짤막한 '굿바이 메일'은 결국 보내지 못했다. 퇴사 메일도 없이 떠나는 사람이라니, 이별도 참 소박했다.

그러고 보니 내 재물 대운은 어떻게 되어가고 있을까. 어딘가에 차곡차곡 쌓이고는 있으려나.

공
장
지
도

텃밭
주차장
출고장
공장 생산동
기숙사
폐수처리장
냉장창고
문산천

목차

2장 두 유 노우 김치?

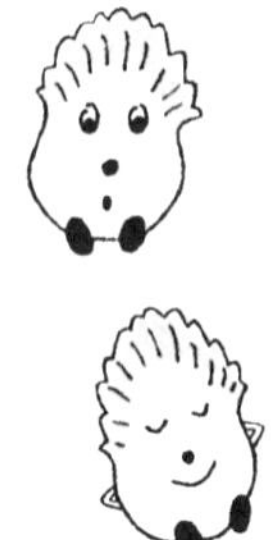

3장 노동요 한 곡조 뽑으며

4장 뒷모습 보며 걷기

1장. 처음 만난 세계

숲세권

공장

세상에는 신기한 일들이 끝없이 일어나고 있는데도
우리는 믿을 수 없을 정도의 지루함을 견뎌내고 있다.

– 헨리 데이비드 소로, 『월든』, 은행나무(2011, 강승영 옮김)

예전 회사는 이태원 한복판에 있었다. 6호선 이태원역에서 나와 회사로 가는 언덕길을 오르다 보면, 가게 유리창 너머로 샘 해밍턴 씨가 샌드위치를 먹고 있었다. 길 건너편에서는 〈맛있는 녀석들〉의 뚱스4가 촬영 중이었다. 친구와 오랜만에 짜볶이가 당겨 들어간 곳에서는 김나영 씨가 술자리를 즐기는 중이었고, 어떤 회식 날엔 홍석천 씨가 들어와 수줍은 하이 파이브를 나누기도 했다. 출근길엔 '광고100'이라는 대행사를 차린 개그맨 유세윤 씨에게서 홍보 전단지를 받은 적도 있으며, 저 멀리 횡단보도 건너편에서도 빛나던 이목구비의 소유자는 가까이서 보니 원빈 씨였다.

지금은 파주'읍' 부곡'리'로 출근한다. 숲속에 있는 우리 공장은 찾아오는 길이 어렵다. 네비게이션은 브랜드를 막론하고, 부곡리 원주민들이 뚫어놓은 샛길을 찾지 못해 외지인들을 골탕 먹인다. 경기도 남쪽 군포에 사는 조 이사님은, 경기북부, 국경 부근의 파주로 출근을 결심하던 날, 길을 못 찾아 공장 근방에서만 30분 넘게 빙빙 돌았다고 한다. 지금은 아마 눈 감고도 오시겠지만.

이렇게 깊은 산속에 별안간, 이렇게 큰 공장이 펼쳐진다. 5톤, 10톤 윙바디■들이 배추를 한가득 싣고 무성한 나무숲 사이사이를 지나다니고, 완제품 아이스박스를 50개씩 실은 지게차들이 공장 마당을 팽글팽글 누빈다.

그런 한편, 널린 게 밤이고 도토리고 쑥이고 진달래라 밤이 여물면 장대를 들고 나가 밤을 따고, 봄에는 쑥을 캔다. 사장이 유난스러워서 그런가, 그 공장 사람들은 밤 딸 때도 유난이라고, 저 아래 다른 공장 사장님의 말이다.

숲세권이라 이태원에서는 들어보지 못한 뻐꾸기 소리가 들려온다. 뻐꾸기시계 같은 효과음이 아니다. 라이브다.

■ 덮개가 마치 날개처럼 열리는 탑차의 한 종류이다.

죽을 뻔한 사람들 1 – 박 기사님

숲속 생활이 마냥 한가로운 전원 같은 것은 아니다. 소설가 마루야마 겐지가 시골은 그런 곳이 아니라고 했듯이, 우리 공장은 어찌나 극성맞은지 모른다.

우리 공장에는 텃밭이 하나 있다. 사장님과 공무 부장님이 함께 만들었다. 토마토, 콩, 고추, 가지, 수박… 심기는 많이 심는데 맛보는 건 항상 적다. 공장 뒷산의 멧돼지들이 먼저 먹기 때문이다. 부곡리의 멧돼지들은 기막히게 절기를 알아서 콩 꼬투리가 맺힐 무렵, 가지가 토실토실해질 무렵, 자두가 달콤해질 무렵 어김없이 내려와 느려터진 인간들 모르게 만찬을 즐기고 간다. 야산에 먹을 것이 떨어지는 겨울에도 걱정이 없다. 저 공장으로만 가면 보이는 곳마다 배추 우거지고, 남는 게 무 쪼가리다.

“야, 박 기사는 오늘 출근 못 했단다.”

어느 겨울, 사장님이 식사 중에 말했다. 지난 주말에 박 기사님이 혼자 눈 내린 공장에서 배추를 내리다가, 문득 치민 요의에 창고 옆 간이 화장실로 들어갔는데 밖이 소란스럽더란다. 무슨 일인가 빼꼼 내다보니, 집채만 한 멧돼지 두 마리가 우다다 뛰고 있더란다. 겨우 새끼 멧돼지만 한 덩치의 박 기사님은 멧돼지가 이쪽으로 다가올까 무서워서 화장실 문을 열지도 못하고 한참을 기다렸다. 영화 <쥐라기 공원2>의 화장실 장면 오마주처럼 박 기사님은 추위에 벌벌 떨다가 그날 일을 다 못 마치고 집으로 돌아가셨다는 것이다. 그러고도 심장이 벌렁거려 출근을 못 하셨다고. 이태원에서는 상상할 수도 없는 연차 사유다.

죽을 뻔한 사람들 2 – 대표님과 이사님

"자기도 이거 한 봉지 가져가. 이거 지이인짜 귀한 거야."

어느 봄날엔 조 이사님이 마당 파라솔 밑 테이블에 웬 밤톨들을 늘어놓으며 말씀하셨다.

"이게 웬 거예요?"

"어마어마하게 귀한 거래."

"한입버섯, 한입버섯."

사장님이 말씀을 보탰다. 테이블 위의 작은 밤톨같이 생긴 것들은 알고 보니 죽은 소나무에서 자라는 '한입버섯'이라는 것이었다. 어쩐지 솔향이 은은했다.

"와, 찾아보니까 한 알에 천 원이래요."

"천 원? 부사장님! 이거 5억짜리야."

조 이사님이 매섭게 호통치셨다.

"우리, 이 부장이랑 이거 따다가 구렁이한테 물려 죽을 뻔했어!"

그제서야 조 이사님과 사장님이 참았던 웃음을 터뜨리며 깔깔대셨다. 두 분이 눈이 다 벌게지도록 웃는 통에, 내용을 모르는 나도 웃음이 나올 지경이었다.

두 여자와 한 남자가 산에 올라갔다. 남자■가 한입버섯이라는 것이 얼마나 귀하고 몸에 좋은지 너스레를 떨었다. 두 여자의 눈에 한입버섯이 들어오기 시작한다. 어멈머, 이 나무에 둘, 저 나무에 셋, 쪼~오 나무에 일곱, 버섯에 눈이 먼 여자들이 그만 헨젤과 그레텔처럼 산속 깊이 빨려 들어간다. 그때, 멀리서 남자가 그들에게 손짓 발짓을 한다. 저 남자가 왜 저러나 보니까, 두 여자의 머리 위 나무에서 집채만 한 구렁이가 똬리를 풀고 스르르 내려오더란다. 등골에 소름이 쪼뻣해져 버섯을 내던지고 한달음에 내달리는데, 그 와중에 이 부장님이 남자라고 한입버섯 뭉텅이를 챙기더란다. 그렇게 목숨을 걸고 딴 귀한 버섯이었던 거다. 아직도 심장이 벌렁벌렁하다면서, 두 분은 냉커피를 벌컥벌컥 들이켰다. 그거 카페인이에요, 어르신들!

죽을 뻔한 사람들 3 - 부장님 시스터즈

우리 사무실에는 사자와 고라니가 있다. 경리부 송 부장님과 영업부 조 부장님인데 두 분의 조합은 말하자면 채식 동물과 육식 동물 같다. 그만큼 성격이 다르다. 사자와 고라니 시스터즈는 점심마다 공장 주변 숲길로 산책을 나서곤 했다. 어느 점심시간 끝 무렵 조 부장님이 사무실 문을 열고 들어오며 말씀하셨다.

"저희, 죽을 뻔했어요."

이 공장에는 죽을 뻔한 사람들이 왜 이리도 많단 말인가!

"송 부장님은, 진짜로 죽을 뻔했어요."

다시 한번 조 부장님이 힘주어 말했다. 화장실로 달려가는 송 부장님의 옆구리가 잔뜩 젖어 있었다.

"어머, 넘어지셨어요?"

"아니, 요 앞에서 개가 덤벼들어서."

두 분은 걸어서 20분 정도 떨어진 물류 센터까지 산책을 나섰다. 그때, 들개 한 마리가 따라왔다. 못 본 척했지만 심장이 쪼그라들어 발걸음은 점점 빨라지는데, 아니 그 들개가 송 부장님에게 자꾸 달겨드는 게 아닌가.

"우리가 시굴 살았던 사람들이라 망정이지, 도시 사람들이었으면 벌써 물렸어! 시굴 사람들이라 개를 아니까 침착해 산 거야!"

하나도 침착하지 않은 목소리로 조 부장님이 말씀하셨다. 개에 쫓기던 두 분은 근처 가구 공장으로 뛰어들며 살려달라 외쳤다. 그러나 점심시간이라 그랬는지 가구 공장에는 아무도 없었다. 꽉 막힌 창고로 들개가 신나서 쫓아왔다.

야, 이제 꼼짝없이 물렸다 싶은 와중에, 멀리 스타렉스 한 대가 지나가고 있었다. "살려주세요! 살려주세요!" 둘은 스타렉스에 뛰어들어, 오른쪽은 송 부장님이, 왼쪽은 조 부장님이 말아 차 문을 두드렸다. 그러나 차 문은 도통 열리지 않고, 그 송아지만 한 녀석은 계속 옆구리에 달라붙는데…. "안 돼, 안 돼! 안 열려!" 역시나 육식 맹수에 가까운 송 부장님이 먼저 전략을 바꿨다. 그는 조수석 창문으로 달려들었다. "아저씨, 열어주세요!" 기세에 눌린 아저씨가 엉겁결에 문을 열어주었고, "저기 앞에 김치 공장으로 가주세요!" 그렇게 두 분은 무사히 살아서 사무실로 귀환했다. 두 사람은 들개 때문에 심장이 덜컹했겠지만, 스타렉스 아저씨는 두 사람의 출몰에 종일 심장이 쿵쾅댔으리라.

두 분의 이야기는 그날 내내 공장 사무실을 뜨겁게 달구었다. 두 분의 묘사 속에서 그 개는 무릎만 했다가, 허벅지만 했다가, 나중에는 송아지만 해졌다. 그리고 급기야는,

"오늘 돈 못 보내요! 송 부장이!! 개한테 물려 죽을 뻔했다고요!"

사장님의 묘사에서는 이렇게 바뀌었다. 거래처 사장님이 왜 돈을 보내주지 않으며, 송 부장은 왜 통화가 안 되냐며 짜증을 냈던 터였다. 사장님의 통화에서 두 부장님의 탈출기는 스티븐 스필버그의 영화에 등장하는 라이언 일병의 두 뺨을 후려쳤고, 들개의 크기는 이미 봉준호 감독의 괴물을 압도하고도 남았다.

그날 송 부장님이 평소보다 퇴근을 서두르셨다. "강아지 때문에 빨리 가시는 거예요?" 했다가 등짝을 한 대 맞았다.

“강아지라니! 개예요, 개! 강아지면 나 손 안 떨었어!”

집채만 한 구렁이와 멧돼지, 송아지만 한 개가 있는 이 숲 속에서 사람만 사람만 하다.

일 많이 하는 삼성 다니던 누나

일복이 많다는 얘기는 어디 가서 들어본 적이 없는데 왜일까. 대표님의 안방에서 근로 조건을 정하면서 각오하기는 했다. 딸이라고 봐줄 생각 없으니 새벽 6시에 세척물 받는 것부터 시작해서 몇 시에 끝나든 생산 마감까지 다 챙기라고. 하지만 '이 정도까지의 업무 강도'는 예상치 못했다. 내가 입사한 이래 첫 이틀을 제외하고 매일 오후 9시를 넘기는 고강도 잔업이다. 날이 갈수록 직원들의 얼굴에 피곤한 기색이 짙어진다. 공장이 잘되려면 주문이 많아야 하고, 주문이 많아지면 일도 많아지는데 이걸 어쩌나. 지금은 김치 비수기랬는데, 대표님은 내 속도 모르고 좋아하신다.

"어머, 네가 일복이 많은가 보다. 너 오니까 일이 는다."

그날은 오이를 처리하고 있었다. 오이통김치를 만들기 위해 오이 가운데에 칼집을 내는 일. 이 일은 어떤 초보자라도 할 수 있어서 공장에 처음 온 사람들에게도 쉽게 맡긴다. 나 같은 사람에게 시키기 딱 좋다. 시간은 밤 9시 반. 오이는 한 500킬로그램쯤 남았나. 넋을 놓고 오이의 배를 있는 힘껏 찌르는데, 눈앞에 불쑥 방금 내가 자른 오이가 다시 나타났다.

“이런 거 안 돼요.”

아닌데. 위로 한 치, 아래로 한 치, 정확하게 반장님이 알려준 사이즈에 맞춰 배를 갈랐는데. 오이를 흔드는 이는 내 옆에서 오이를 자르던 네팔 사람이었다.

“엇, 뭐가 잘못됐나요?” 회사 생활 9년을 줄곧 막내로만 생활해서 그런가. 나는 어딜 가서도 방정을 떤다. 직함에 걸맞지 않은 막내다운 호들갑으로 무엇이 잘못됐냐 물어보니 그는 오이 밑동에 살짝 곯은 부분을 콕 찍었다.

“이런 거 들어가면 안 돼요.” 아, 김치 종주국민보다 매서운 네팔인의 오이 선구안. 그의 꼼꼼함에 새삼 안심도 되고, 스스로 반성도 하며 이전보다 더 까다로운 눈으로 오이를 살피는데 그가 말했다.

“누나, 삼성 그만뒀어요?”

웃음이 터져나왔다. 엄마는 그토록 나의 퇴사를 고대해 왔으면서도, 딸이 대기업 다닌다는 것은 힘주어 자랑하고 다녔던 것이다. 아니 도대체 사장 딸이 어디를 다니든 직원이 알게 뭔가! 그의 딸은 네팔에 있는데 말이다.

"아, 사장님이 말했어요? 이름이 뭐예요?"

"수딥이요. 누나 삼성 그만뒀어요? 후회 안 해요?"

네팔 사람 수딥은 빠꾸 없이 직진으로 훅 들어왔다. 벌써 몇 주째 야간 생산 중이었으니 할 법한 질문이었다.

어느 밤엔 현장에서 나온 쓰레기들을 치우고 있었다. 또 다른 네팔 사람 바타가 말했다.

"누나는 삼성도 나왔는데, 왜 이렇게 열심히 해요?"

네팔인들에게 삼성의 위상이 대단한 것 같았다.

왜 좋은 회사 관두고 김치 공장이냐고. 회사를 그만두겠다고 말한 그 순간부터 모든 사람이 물었다. 팀장님들도, 거래처 사장님도, 생산 여사님들도, 사무실 직원들도, 친구들도. 진짜, 후회하지 않겠어?

솔직히 후회 안 할 자신은 없다. 광고 호황 다 갔다고 해도, '카피라이터' 다섯 글자에는 항상 은은한 후광이 감도는 듯했다. 출근한답시고 눈곱만 떼고, 머리도 빗지 않은 채 다 늘어난 목티를 입고 출근해도 누구도 뭐라 하지 않았다. "쟤는 제작이야." 광고회사 사람들의 반짝반짝한 스타일 사이에서 나의 후줄근은 그 나름 개성인 것도 같았다. 그러니까 '광고회사 다니는 나'였을 때는.

그런데 광고회사라는 타이틀이 사라지면….

"무슨 일 하세요?" 손이 아파 찾아간 병원에서 의사가 물었다. 이어진 대화는 이랬다.

"공장에서 일하는데요."

"아, 그럼 원래 아픈 거예요."

이제 나에게서 입체성은 사라졌다. 나의 거지꼴은 규칙에 속박되지 않는 제작팀의 분방함이 아니었다. '알고 보니 잘나가는 광고회사 카피라이터였다'는 반전도 더 이상 유효하지 않다. 나는 한눈에 보나, 다시 보나, 누가 보나 자기 관리 못 하는 공장 사람이다▪.

▪ 공장 사람들도 가지각색이다. 꼬박꼬박 샤넬 블라우스로 차려입는 사람이 있는가 하면, 나처럼 후줄근한 차림인 사람도 있다. 또 삶의 벼랑 끝에서 다니는 사람도, 소일거리 삼아 다니는 사람도 있다. 공장에 대한 편견보다는 사람들이 흔히 갖는 '광고회사'에 대한 환상, 나는 그 환상이 나의 외모로 인해 깨질 때의 통쾌함을 좋아했는데 그 반전이 사라진 아쉬움을 말하고 싶었다.

하지만 나는 광고회사에 근 10년을 다닌 카피라이터였음에도 불구하고 누군가 '어떤 카피 썼냐' 물으면 도망가고 싶어진다. 말할 만한 카피가 하나도 떠오르지 않아서다. 그렇다고 성취가 없었냐 하면 그런 건 아니었다. 광고제에서 상도 받았고, 누군가는 우리 팀의 광고를 레퍼런스 삼기도 했다. 그럼에도 불구하고, 내가 쓴 말들은 언제나 유튜브 건너뛰기 버튼으로 연결되지 않았나.

그러나 엄마가 만든 김치는 끼니를 건너뛰는 일이 없었다. 일흔 평생 김장에 시달리던 한 어머님을 자유롭게 했고, 장난꾸러기 여섯 살 쌍둥이들이 대학교에 입학할 때까지 든든한 밑반찬이 됐으며, 공장이 위치한 동네에 사는 우리 여사님들의 월급이 되어주었다.

엄마가 만드는 김치는 세상에 보탬이 된다.

여기에 있으면 어디 내놔도 부끄럽지 않은 김치를 만들 수 있다. 쓸데없이 비장하고 장황하지만, 그게 나의 이직 동력이었다. 그러니까 나는 후회하지 않기 위해서라도 정말 괜찮은 김치를 만들어야 한다. 아무렇게나 해서 팔 거였으면 그만두지 않았을 거다. 대기업 명함으로 대출도 쉽게 받고, 새벽 출근 때는 택시 기사님께 '어느 회사 가주세요' 한마디 한 뒤 두 발 뻗고 잠들었을 것이다. 그러니 나는 정말 제대로 하고 싶다. 그러나 이런저런 '사장 자제'스러운 각오 반, 의지 반, 허세 반의 말들은 다 주워 삼키고, 오이를 깎던 날 밤엔 수딥에게 이렇게 대답했다.

"당연히 후회하죠! 너무 힘들어."

문자 메시지로 답했다면, 울음표(ㅠ)를 잔뜩 붙였을 거다.

슬제니친적

하루

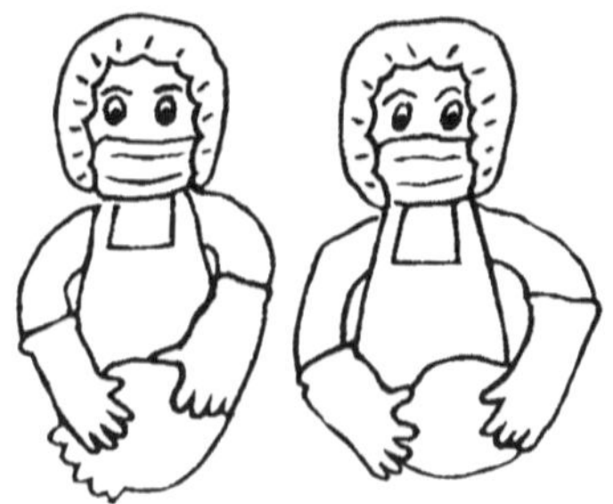

BPM이란 무엇인가.

비트 퍼 미닛beats per minute? 노노. 배추 퍼 미닛이다. 분당 배추 포기 생산량을 의미한다. 여기서 포기 생산이란, 절임 배추에 양념소를 넣어 하나의 포기김치를 완성하는 작업을 말한다. 전문 용어로는 '포기 싼다'. 우리 현장에는 포기 특공대라고 불리는 4인조 어벤져스 여사님들이 계신다. 네 명이서 다른 여사님들 열두 명 몫을 하신다. 여사님 한 분이 한 시간에 100킬로그램의 포기를 쌀 때, 포기 특공대는 2~300킬로그램을 싸는 셈이다. 이 여사님들이 처음 공장에 왔을 때, 생산 팀장님은 감탄 어린 목소리로 말씀하셨다.

"어깨가 안 멈춰!"

생산 팀장님은 여사님들의 어깨 들썩임으로 포기 생산량을 파악할 수 있다고 했는데, 과연 그랬다. 포기 특공대의 어깨는 월미도 디스코 팡팡처럼 쉴 새 없이 튀겨졌다. 한편 양념 된 배추들이 빨갛게 줄지어 선 컨베이어 벨트를 사이에 둔 맞은편 여사님들의 어깨는… 고요한 새벽 바다 같았다. 노래로 치면 드뷔시의 〈달빛〉…?

그럴 때 여사님들의 표정은 마치 불상 같다. 속세의 감정일랑 모두 떠나보낸 것 같은, 마치 '빌 공 空'자와도 같은 상태. 종일 서서 배추에 양념을 넣는 일이 뭐 그리 재미있겠는가. 허리나 아프지. 서두를 이유가 없다. 김치가 안 나와 속타는 것은 사장이나 공장장이지, 내가 아니다. 여사님들은 생산량으로 경쟁 따위를 하지 않는다. 바위처럼 그 자리에 서서 시간을 견딘다. 그럼 이 단단한 암석들은 언제 잠에서 깨는가.

"아이구, 동굴에서 코끼리 떼 뛰어가는 소리가 나네. 그러다 다쳐, 다쳐!"

조선 사관처럼 받아 적은 사장님의 생생한 말씀이다. 쉬는 시간 종이 울릴 때 현장 CCTV를 올려다보면 사장님의 표현엔 틀림이 없다. '딩-' 하는 휴게 종의 첫 음이 들리자마자 작업대 곁에 있던 여사님들이 일시에 멀어진다. 종소리의 나머지 '-동댕동'은 여사님들의 스피드에 비하면 너무 늦다. 소리가 나지 않는 CCTV인데도 효과음이 들리는 듯하다. 사람을 피해 도망가는 갯강구 떼가 내는 소리 같은 것. 앞치마에 속장갑, 겉 장갑, 토시, 두 겹의 위생모, 마스크, 페이스 실드… 쓸 때는 한세월이던 것들을 빛의 속도로 벗으며, 여사님들은 작업대에서 멀어진다. 몇 초 지나지 않아 여사님들이 우당탕탕 코끼리 떼처럼 사무실로 밀려든다. 일과 중 세 번. 점심과 오전·오후 휴식. 바로 이 순간이 온 인생의 전부인 것처럼.

나는 뭐 다른가. 시간이 안 가기는 사장 딸도 마찬가지다. 한동안 내 일과는 아침엔 세척된 배추를 건지고, 오후엔 사무실 업무를 보는 것이었다. 절임실과 세척실을 연결하는 작은 구멍에서 배추가 쏟아져 나온다. 절임 배추들이 물기둥에 살살이 씻겨 컨베이어를 타고 끝없이 밀려온다. 컨베이어가 멈춰야 오늘 공정의 반이 끝난다. 악마의 목구멍이라 불리는 이과수 폭포처럼, 세척실의 작은 구멍이 악마처럼 끝도 없이 배추를 쏟아낸다. 폭포 앞에 선 여행객들처럼 온몸이 쪼그라든다. 도대체 지금 몇 시쯤 됐을까.

어디서 들었는지 드럼통을 가져온 녀석들이 열두 시가 됐다고 알려준다.

"열두 시가 맞을 거야" 슈호프가 말했다. "이렇게 해가 중

천에 떠 있는 걸 보니 말이야.”

“중천에 해가 걸려 있으면 말이야…” 하고 해군 중령이 끼어든다. “열두 시가 아니고 한 시야.”

“아니, 왜 그렇지?” 슈호프가 눈을 치켜뜨며 반박한다.

“모든 선조들이 그렇게 알고 있었어. 해가 가장 높이 떠 있을 때가 정오라는 것을 말이야.”

“그건 그 사람들의 이야기야!” 중령이 말을 되받아친다. “법령이 있은 다음부터는 오후 한 시가 되었을 때, 해가 가장 높이 떠 있단 말이야.”

“아니, 그따위 법령을 누가 만들었단 말이야?”

“소비에트 정부지!”

솔제니친의 소설 『이반 데니소비치, 수용소의 하루』(민음사, 1998, 이영의 옮김) 에는 이런 장면이 나온다. 세척 배추를 건지던 어느 날, 문득 이 대목이 떠올랐다. 시대를 막론하고, 상황을 막론하고 노동의 현장에서 초미의 관심사는 동일하다. ‘도대체 지금이 몇 시냐.’ 라인에 서 있으면 그게 제일 궁금하다. 왜 그게 중요한가. 점심시간을 알 수 있기 때문이다!

“부사장님, 오늘 안 쉬어요? 왜 종이 안 치지?”

어느 토요일 근무 날, 시계도 없는 반장님이 내게 물으셨다. 그로부터 정확히 3초 뒤에 종이 울렸다. 여사님들의 시간 민감성은 휴게 시간을 알리는 종소리보다 예민하고 기민하다.

공장에 온 지 며칠 안 됐을 때는 이런 일도 있었다. 다 함께 총각김치를 포장하는데, 포장 비닐을 가지러 갔던 네팔 사람이 돌아와서는 가락시장 도매상처럼 옆자리 친구에게 손가락 몇 개를 접었다 펴는 손짓을 하는 게 아닌가. 작업 속도가 느린 나를 욕하는 건 아닐까, 괜히 신경이 곤두섰다. 아무도 모르게 혼자 토라진 채로 총각김치를 한 100개쯤 포장했을까. 이번엔 다른 사람이 손짓을 했다. 가만 보니 숫자 같았다. 5, 3, 5… 아! 5시 35분! 이제 곧 저녁 시간이다. 금속 검출기에 가까이 있는 이들이, 먼 자리 이들에게 시간을 알려주고 있었다.

아이고, 그래. 결국 우리는 배부르고 등 따숩기 위해 이 고생을 하는 것 아닌가. 오른손에 들릴 따끈한 닭다리 하나와 왼손에 들릴 시원한 맥주 한 캔을 위해.

여담

생산이 몰려 야간이 이어지던 때였다.

겨우겨우 밥시간이 됐는데, 몽골 여직원들이 전부 저녁을 걸렀다. 다른 건 몰라도 사람들 굶으면서 일하는 건 절대 못 참는 사장님이 대번에 소리쳤다.

"왜 밥을 안 먹고 있어?"

돌아온 대답은 이랬다.

"고기 없어요."

옆에 있던 여사님이 말씀하셨다.

"오늘 닭고기 나왔는데?"

"그거 고기 아니에요. 돼지고기 없어요."

그날부로 사장님은 저녁 메뉴에 돼지고기류를 반드시 하나씩은 포함하도록 지시했다. 영화 〈웰컴 투 동막골〉의 동막골 이장님 명대사가 떠오른다. 현명한 치세의 비결이 뭐냐는 북한 군인의 물음에 대한 답이었다.

"뭐를 잘 먹여야지."

잘 먹는 게 이렇게 중요하다.

글로벌 제작 본부

하지만 완벽한 건 그다지 매력이 없잖아.

우리가 사랑하는 건 결점들이지.

– 존 버거, 『A가 X에게』, 열화당(2009, 김현우 옮김)

바벨탑이 무너졌다고 그 누가 그랬나.

나는 글로벌 제작 본부에서만 6년을 넘게 일했다. 영어는 시험 성적만 겨우 맞출 줄 아는데, 어느 날 눈을 떠보니 팀 전체가 글로벌 제작 본부로 이동했다. 보통의 성공 스토리 같으면 낮에는 일하고 밤에는 공부해서, 어느덧 영어를 곧잘 하게 됐다는 해피엔딩이 있을진대, 그런 멋진 결말은 없다. 'We see'로 시작하는 영어 스토리보드에 익숙해질 즈음, 글로벌 본부를 탈출하기 위해 부단히 애쓴 끝에 겨우 국내 본부로 돌아갔다. 그래서 생산 라인에서 포장을 하다 보면 웃음이 난다.

네팔인이 양념을 하고, 한국인이 양념소를 넣는다. 중국인이 양념을 버무려, 한국인이 비닐을 끼운다. 네팔인이 무게를 달고 태국인이 비닐을 묶어 몽골인이 라벨을 붙이고, 다시 한국인이 택배를 포장한다. 아니, 세상에. 그렇게 노력해서 온 곳이 또다시 글로벌 제작 본부라니!

이름만 해도 그렇다. 판교의 여느 스타트업들 부럽지 않다. 가젠, 타파, 바타, 수딥, 루비, 가네스, 라우더…. 한 때, 판교의 IT 회사들에서 서로를 영어 이름으로 부르는 게 유행이었듯이, 우리 공장에도 이국적인 이름들이 넘쳐난다. 그 뜻도 웅장하기 이를 데 없다. 게게는 '반짝이는 빛'이라는 뜻이며 바타의 성 '비슈뉴'는 인도의 어느 신 이름이다.

공장에서 일하다 보면 '글로벌'이라는 낯선 단어가 '부곡3리 마을회관'처럼 친숙하게 느껴진다. 어느 김치 공장이 한동안 생산에 큰 차질을 겪었는데, 그 이유가 미얀마의 민주화 운동 때문이었다. 아웅산 수치의 구금 소식에 미얀마 사람들이 전부 광화문 시위에 참여하느라 일을 못 한다는 것이었다. 그 김치 공장은 알게 모르게 미얀마의 민주화 자금줄이 되어온 것이다. 세상에, 지구촌을 넘어 한솥밥을 먹는 느낌이다. 나는 네팔과 몽골의 평화를 지극히 바란다. 만약 그들의 나라에 어떤 일이 생긴다면 나도 나서서 힘을 보탤 것이다. 나의 외국인 친구들을 위해.

네팔에서는 한국으로 일하러 나오기 위한 비자 취득 경쟁률이 꽤 치열하다고 했다. 한국어 시험을 쳐서 성적순으로 자르는데, 학원비만 해도 한국 돈으로 120만 원 가량이라고. 네팔 돈으로는 거진 3개월 생활비를 웃도는 금액이다. 다들 그만큼의 돈을 투자해 한국으로 오는 것이었다. 그래서 네팔인들은 모두 한국말에 꽤 능숙하다.

"라벨 어따 놨어?"

"3키로 몇 개?"

"빨리 해. 그거 안 돼. 쎄게 묶어."

이게 다 네팔인들과 몽골인들의 대화다. 한번은 네팔인들끼리 부딪쳤는데, "아이구, 괜찮아?", "괜찮아"라고 주고받는 것을 보고 웃음이 나왔다.

반제품들을 저장하는 냉장창고는 귀여움의 각축장이다. 외국인 작업자들이 써둔 이름표들 때문이다. 까르상이 붙여둔 특선 겉절이 양념 이름표에는 '특산 갈자리 양념'이라 쓰여 있고, 바타는 보쌈 양념에 반듯한 글씨로 '보삼 얌념'이라

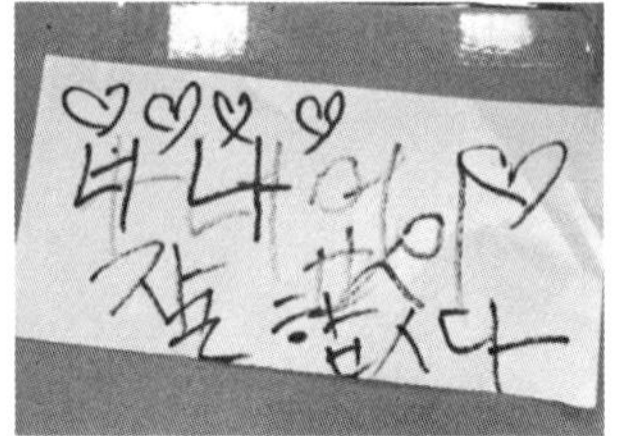

고 적었다. 그리고 어느 날 가나는 포장지 박스에 '너나없이 잘합ㅅ다'라고 써놨다. 수딥은 한국말을 잘하면서도 휴가계를 낼 때는 꼭 사유에 '아프다'라고 적어서, 먹고살이의 고됨을 강조하는 것 같다.

그래서 나는 <오징어 게임>의 알리가 싫다. 개그맨 블랑카가 "사장님 나빠요~"를 외치던 게 벌써 몇 년 전인데, 우리나라 콘텐츠에 나오는 외국인 노동자 캐릭터는 왜 아직까지 이다지도 평면적일까. 나이 든 남자를 모두 사장님이라 부르고, 한국인들의 눈치나 살살 보며 굽실대는 어두운 피부색의 외국인 노동자.

외국인 노동자들이 한국 노동자들에게 꼬박꼬박 존댓말을 한다는 것부터가 설정 오류다. 한국어 존댓말이 얼마나 어려운데. 보통 외국 노동자들과 한국 노동자들은 서로 반말을 한다. 한국말을 잘하는 수딥이나 타파도 말이 조금 복잡해지면 반말을 쓰고, 몽골 친구들은 뭐 시작부터 반말이다. "나 여기 아파.", "이런 거 안 돼."

절임실의 람은 한국인 알바생들이 조금이라도 요령을 피우면 얼마나 매섭게 변하는지 모른다. 타파는 런던에서 석사 학위를 따서, 내가 LA 한인 행사와 관련한 영어 메일을 써야 했을 때 문장을 교정해 주기도 했다. 사장님이 수딥한테 자주 하는 말은 "야! 수딥! 너는 3년만 더 있으면 한국 사람들 다 잡아먹겠다야!"이다. 수딥은 한술 더 뜬다. "예~ 감사합니다!"

한편, 세파나 까르상은 수줍음이 많아서 말을 걸어도 영 쑥스러워한다. 그러나 네팔인들이 부당한 일 앞에 함부로 고개 숙이는 법은 없다. 네팔인뿐 아니라 몽골인, 베트남인 모두 마찬가지다. 다들 공장에서 번 돈을 잘 모아서 3층짜리 집도 올리고, 새로운 사업을 시작하기도 하는, 그리운 고향의 가족에게 자랑스러운 가장들이다.

어떤 사람의 품격은 그 짧은 "네" 하고 대답하는 소리만으로도 알 수 있다. 하루는 생산 현장에서 누군가 사장님 말에 "네"라고 정확히 발음하는 음색이 매우 기품이 있어 놀랐다.

하루 벌어 하루 먹고 사는 사람들은 자신의 고귀함을 먼저 내려놓기 쉬운데, 그의 목소리는 그런 기색이 전혀 없이 밝고 단정했다. 누가 대답했나 보니 타파였다.

나는 우리 공장의 외국인 노동자들을 부를 때 항상 '기숙사 친구들', '외국인 친구들'이라고 호칭하게 된다. 부디 나의 이 '친구'라는 말이 아주 담백하게 들리기를 바란다. 그들이 나를 친구로 여겨주지 않으면 어떡하나 걱정이 되면서도, 우리가 노동자와 고용자 혹은 관리자라는 말로 갈라지기보다, 나이 또래 친구로, 함께 고생하는 동지로 여겨지기를 바란다. 그러나 내가 '친구'라는 단어를 쓸 수 없을 때에는 '외국인 노동자'라는 단어가 '이주 노동자'라는 말보다 더 정확하다고 생각한다. 이주 노동자라는 말은 참 비겁하다. 그 말은 외국 국적 노동자들의 그 무엇도 지켜주지 않으면서, 그들을 정확하게 설명하지도 못한다. 이주 노동자를 외국인 노동자라 부른다고 해서 그들의 권리가 폄하된다고 생각하지 않는다. 미디어는 이주 노동자라고 부르도록 하면서, 또 한편으로는 그들을 '잠재적 범죄자' 아니면 '가난하고 불쌍한 사람'으로만 여긴다. 똑똑하고 욕심 있고, 먼바다를 건너올 정도로 야망과 패기가 넘치는 이들인데, 어떻게 그들을 저 두 집단으로 묶는단 말인가.

나는 우리 공장의 외국인들에게서 많은 것을 배웠다. 반찬이 맛없다면, 고기가 있어야 우리도 먹을 것이 있다고 말하는 소신. 아프다고 또박또박 적어 연차를 쓰고, 어느 상황에서건 함부로 자신을 낮추지 않으며, 나의 편이 없는 곳에서도 자신이 지닌 존귀함을 지킬 줄 아는 태도.

스물일곱 살 수딥이 가장 감명 깊게 본 한국 영화는 <국제시장>이다. (수딥이 꼽은 두 번째 한국 영화는 <명량>이다) 이 영화에는 1960년대 독일에서 광부로, 간호사로 일하던 한국인 노동자들의 이야기가 나온다. 수딥은 그 영화를 보고 한참을 울었다고 했다. 영화 속 아버지의 마음을 알 것만 같다고 했다. "그 사람들, 정말 위대한 일을 해낸 거예요. 지금의 한국을 만든 사람들." 나는 수딥에게 당신과 당신의 친구들이 바로 그런 일을 해내고 있다고 말해주고 싶었다.

간절히 바란다. 나의 외국인 친구들이 모처럼 쉬는 날, 한국어로 가득한 거리에서 어느 평범한 시선 끝에 상처받는 일이 없기를. 치열하게 달려온 어느 한 주의 끝엔 나의 외국인 친구들도 평범한 한국인만큼의 소박한 자긍심을 온전히, 마음 편히 누릴 수 있기를.

여담

작년 추석, 바타와 수딥, 타파와 함께 강화도 보문사에 갔다. 네팔인들은 석가모니가 네팔 출신이라는 데에 큰 자부심이 있는데, 과연 석가모니의 후손답게 수딥이 나서서 가부좌를 틀고 '옴'을 길게 뽑았다. 사장님도 따라붙었는데, 타파와 바타는 그 모습을 조금 부끄러워했던 것 같다. 깨끗한 추석 하늘 아래 명상의 시간은 즐거웠다.

흔들리는 누나들

예전 회사에서 가장 마음에 들었던 제도는 서로를 '프로님'이라고 부르는 것이었다. 처음엔 좀 남사스럽다고 생각했는데, 겪어보니 여러모로 유용했다. 한국 사회는 직급과 나이 간 관계성이 짙어서 단순히 노안이라는 이유로 '국장'이라 불리면 당황스럽고, 유달리 동안이라 직급보다 낮게 불려도 난처하다. 그런데 사장 포함 모두를 '프로'라고 정리해 버리니, 같이 일하는 부서 사람들의 직급을, 이름만큼 중요하게 기억해야 한다는 어쩐지 앞뒤 바뀐 듯한 매너를 차릴 필요가 없어진 것이다.

호칭이 그렇게 중요하다. 우리는 우리가 불리우는 그것으로 세상과 관계를 맺는다. 누군가 나를 꽃이라고 부르면 난 꽃이 되고, 바보라 하면 바보가 되고, 프로라 하면 프로가 되고….

'누나, 안녕하세요.'

모르는 외국인에게 나는 누나였다.

공장으로 일터를 옮기기 몇 해 전, 뜬금없이 받은 카톡. 메신저 기본 프로필 사진에 이름이… Bi…shnu Battha. 아, 바타구나. 바타는 우리 공장에서 양념을 담당하는 분으로 알고 있었다. 엄마가 내 번호 줬다고 했지. 그는 비자 갱신을 위해 한국어 시험을 준비 중이었고, 엄마는 나에게 묻지도 않고 그에게 내 번호를 넘겼다. 옛날옛적에 고등 검정고시 국어 수업은 해보았지만 외국인을 가르쳐본 적은 없는데 내가 어떤 도움을 줄 수 있을까 하는 곤란함 이전에,

'내가 지금 '누나'로 불리웠다!'는 당혹감에 나는 섣불리 대답할 수가 없었다. '내가 누나라고? 바타! 나보다 네 살 많잖아요! 내가 누나로 보여요?'라고 당장 답장을 보내고 싶었지만, 사회적 체면을 가까스로 유지해 '안녕하세요, 바타!'라고 편집해 보내놓고도 한참을 생각했다.

나는 평소에도 노안으로 유명하여, 애가 없으면서도 애 엄마로 불리기 십상이었다. 내가 20대, 바타는 30대. 서양인들은 동양인 나이를 실제보다 한참 어리게 본다는데, 나는 대체 몇 살로 보였다는 거지. 한 마흔 살쯤인가.

그렇게 바타와 나의 한국어 수업인 듯 한국어 수업 아닌 카톡 대화는 한동안 뜨문뜨문, 특히 명절 전후 바타의 인사와 함께 이어지곤 했다.

그리고 시간이 흘러 드디어 내가 공장으로 출근한 첫날, 누구보다 나를 반갑게 맞이한 공장 사람도 바타였다.

"누나~ 안녕하세요!"

나는 이제 바타와 같은 30대에 들어섰고, 위생모와 마스크 사이로 보이는 바타의 두 눈은 몹시 반짝여 확실히 나보다 어린 것 같기도 했다. 언젠가 친해지면 왜 나를 누나로 불렀는지 꼭 물어봐야지 하는 순간,

"누나, 이것 좀 가져다주시면 안 돼요?"

누군가 또다시 날 누나라 불렀다. 바타 아닌 또 다른 사람이!

그의 이름은 타파였다. 그의 눈 역시 반짝반짝 아름다운 것이 과연 나보다 어려 보였다. 정신을 차려보니 나는 거의 모든 외국인에게 '누나' 혹은 '언니'로 불리고 있었다. 오로지 중국에서 온 성애 씨만이 먼저 이렇게 물었다.

"안녕하세요~! 제가 뭐라고 부르면 돼요?"

"아, 팀장이라고 불러주세요!"

나를 팀장님이라 부르는 한 명의 외국인과 누나라 부르는 나머지 외국인들 사이에서 간혹 여사님들은, "야! 누나가 뭐야! 부사장님! 해야지" 하고 첨삭하시기도 했다. 공장 내 나의 호칭에 '부사장 누나'가 추가된 순간이다.

피부과라도 다녀야 하나. '누나'에 대한 고민을 늘어놓으니 현명한 나의 친구 A는 외국인들은 누나를 '자신보다 지위가 높은 여성을 부르는 통칭'으로 알고 있을 것이라는 그럴싸한 이론을 내놓았다. 냉정한 현실주의자 B는 '네가 그분들보다 어려 보인다 한들, 그분들이 너를 뭐라 부르냐. 부사장 동생이라 하냐? 엉뚱한 데 신경 쓰지 말고 어떻게 어머님 도와드릴지를 고민해라'라며 일침을 놓았다.

그렇게 누나로 불리는 일에 무뎌질 무렵, 사무실에서 웅성이는 소리가 들렸다.

"야, 너어~~~ 이모가 뭐야, 이모가!■"

"뭐야? 수딥이 부장님보고 이모라고 했어?"

"네, 이몬 줄 알았는데. 앞으로 누나라고 할게요."

■ 현장의 호칭 체계는 보통의 사회에서와는 조금 달라서, '이모'라 불리기 위한 나이의 장벽이 생각보다 더 높다. 그래서 웬만한 나이대의 여성은 '누나'라 불린다.

"내가 이모라니."

그렇다. 누나 위에는 이모가 있던 것이다. 그래도 부장님은 나은 경우였다. 어쨌거나 중학교 1학년, 초등학교 5학년 자제가 있는 어엿한 학부형이었기 때문이다. 더 슬픈 일은…

"하!"

현장에 다녀온 올해 스물여섯의 품질팀 대리님이었다. 그가 무너지듯 자리에 앉았다. 옆에 있던 부장님이 물었다.

"○○ 씨, 무슨 일이야?"

"아니, 아까 현장 갔는데 누가 저더러 이모라고…."

아아, 이름이란 무엇인가.

존재의 흔들리는 가지 끝에서 누나였다가, 이모였다가, 아닌 밤 돌개바람처럼 성이 나기도 하는!

어쩌다 월급 경찰

돌이켜보건대, 나도 100점짜리 사원은 아니었다. 월급 루팡 생활도 꽤 했다. 뭐 내가 하려고 한 건 아니고, 광고회사 제작팀은 농번기와 농한기가 꾸준한 사이클로 돌아가는데 농한기를 잘 누렸단 뜻이다. 일반적인 사무직에게는 주어지지 않는 큰 행운이다.

광고주와 대행사 사이에는 만유인력 같은 모종의 힘이 작용하는 것 같다. PT나 프로젝트들은 항상 비슷한 시기에 밀물처럼 들어왔다가 비슷한 시기에 썰물처럼 빠져나간다. 다만 농한기에는 불문율이 하나 있는데, 눈앞에 펼쳐진 광대한 '노는 시간' 앞에 괜한 입놀림을 하면 안 된다는 것이다.

"야, 우리 진짜 월급 도둑이다. 이젠 일 받아야 되지 않나."

이 말과 함께 어련히 들어올 일이 3배로 불어닥친다.

나는 친구들이 "야, 나 요새 완전 월급 도둑이야, 좀 심해" 하면 대체로 경고를 주는 타입이었다. "야! 어차피 회사는 공짜로 월급 안 줘. 놀 수 있을 때 놀아."

사르트르가 말했던가. 사람은 모두 하나의 상황일 뿐이라고. 이제 나는 누구보다 무서운 월급 경찰이다. 다만, 말을 못할 뿐.

생산 라인에서 종종 벌어지는 웃긴 광경이 있다. 분명히 공장의 생산직인 걸 알고 지원했을 텐데, 그렇다면 몸을 써야 하는 것을 알고 왔을 텐데도 어떻게든, 정말 어떻게든 일을 안 하려고 애쓰는 분들이 계신다.

나	선생님, 이것 좀 빨리 올려주세요.
알바 선생님	나 못 해. 나 허리 아파서 안 돼.

어떤 업무를 지시했는데, 이렇게까지 단호한 거부를 들었을 때는 내가 어린 여자라서 그런 건가, 황당했다. 아니, 허리가 아프면 일을 안 오시면 됐을 텐데, 대체 왜…? 그 선생님은 공장 안에서 편한 일만 찾아다녔는데, 공장에 편한 일이 어디 있는가. 다 서서 하는 일이고, 다 힘을 써야 하는 일뿐인 것을.

내가 공장에 간다고 했을 때 지인들은 모두 말렸다. 내 천성으로는 눈치 보느라 일을 못 시킨다는 것이다. 처음엔 그 말에 자존심도 상하고 화도 났는데, 틀린 말은 아니었다.

나는 지금도 사무실에 있든, 현장에 있든 눈치를 본다. 나는 이미 9년 차 직장인이었지만, 대기업의 일이 대개 그렇듯 내게 주어진 업무 반경에서 성실했다. 광고 캠페인 아이디어를 내고, 그것을 실행하고, 자료를 조사하는 것은 자신 있었지만 그 외의 것, 서무, 회계, 의전, 생산 관리 등은 처음 해보는 일이었다. 더군다나 책상물림이 어느 날 갑자기 현장이라니, 있던 일머리 한 톨마저 탈탈 털리는 기분이다. 그래서 내 직함은 부사장이지만 깍두기처럼 일한다. 여기에 사람이 부족하면 여기를 메꾸고, 저기가 비면 저기를 때운다. 고무줄놀이의 깍두기처럼 나는 여기저기 붙어 일하고, 어떤 라인에서든 가장 '못하는 사람'이 된다. 그래서 깍두기 부사장은 항상 귀가 예민하고 눈이 바쁘다.

그럴 때면, 오래전에 보았던 벤츠의 카피를 생각했다.

사자가 자세를 바꾸면

밀림은 긴장한다

엄마는 이 공장이라는 밀림 속에서 절대적인 사자다. 엄마가 떴다 하면 현장이 긴장한다. 어떤 라인이든 마찬가지다. 말대꾸를 좀 하다가도 꼼짝없이 제압당한다. 엄마의 무용담 중에는 용 문신을 새긴 조폭 출신 화물 기사를 쇠봉으로 제압한 일도 있다. 엄마의 딸인 나는 원숭이가 언덕 위에서 높게 들어 올린 사자 새끼 정도는 되어야 할 것 같은데… 오죽하면 현장에 들어가기 전에 '초원의 눈치를 보는 사자는 없다'는 각오를 되뇌기도 했다. 내가 나쁜 일을 시키는 게 아니라, 마땅히 해야 하는 오늘의 업무를 지시하는 건데도 그게 참 눈치가 보인다. 사실 공장의 모든 일은 '나도 할 수 있는 일'이기 때문이다. 배추를 다듬고, 완제품을 이 박스에서 저 박스로 옮기고, 원물을 새로 꺼내 오고…. 근데 그 순간에 내가 하려는 걸 참고, 집단의 질서에 따라 남에게 시킨다는 이 업무 전환이 너무 남사스러웠다. 시키는 일을 잘 받아서 하던 사람이, 시키는 일을 잘해야 한다니. CPU가 좀처럼 적응을 못한다.

현장에서 보면, 나보다 나이가 어린 친구들도 잘만 지시했다. 외국인 친구들도 한국인 여사님들에게 본인 편한 대로 잘만 요청했다. 그런데 나는 왜 어려울까. 서열 사회에 몸담

아 본 적이 없어서일까. 욕먹을 이야기지만, 한편으로는 군대를 다녀온 이들이 부럽게도 느껴졌다. 군대에서는 나이와 상관없이 서열별로 관계가 재정립되는 일을 자연스레 겪으니까. 나보다 나이가 어린 남자들이 더 자연스럽게 일을 시키는 것 같았다.

나는 현장의 그 흔한 반말도 어렵다. 문제는 외국인 친구들에게 존댓말을 쓰면 의사 전달이 어렵다는 것이다. 복잡한 일은 반말로 전달하고, 쉬운 얘기는 오히려 존댓말을 쓰는 게 좋은데… 막상 그 반말이 안 튀어나와서 중요한 술어를 떼버리고 두루뭉술 넘어간다. "이거를 여기에 이렇게, 알겠죠?" 같은. 그래도 1년이 지나니 아주 조금씩 반말을 섞어 쓸 수 있게 됐지만.

월급 경찰에게도 고충이 있다. 어디 가서 함부로 얘기했다가는 비난이나 받기 십상이지만. 언제 경찰 노릇 제대로 할는지, 걱정이다.

배추 올라잇!

"공장에 들어오는 것 중에 공짜 없고요, 공장서 나가는 것 중에도 공짜 없어요!"

사장님이 한 말씀인데, 정말이다. 배추는 따서 다듬는 것도 일이지만, 버리는 것도 일이다. 공장에서는 쓰레기를 버리는 데에도 수천만 원의 비용이 든다. 그래서 좋은 배추를 수급해 오면 배춧값만 아끼는 게 아니라 그에 수반되는 모든 비용이 덩달아 절약된다. 배추가 좋으면 잘 절여지고, 양념을 잘 먹고, 로스가 줄고, 생산 시간이 줄고, 클레임이 줄어든다. 부재료부터 인력비까지 모두 아낄 수 있다. 그러므로 현장에서 처음 누군가 '배추 올라잇all right!'이라고 외치는 소리를 들었을 때 나는 아니, 도대체 어느 외국인이 김치 공장의 핵심을 꿰는 말을 이렇게 아무렇지 않게 하는가 두리번거리게 되었던 것이다.

이 말은 포기 생산 라인에서 들려왔다. 포기 생산 여사님들이 작업하기 쉽게 일을 도와주는 2인조였다. 한 명이 "배추 올라잇!" 하면서 배추를 작업대에 올리면, 다른 한 사람이 "염염yum yum~" 했다. 이 '배추 올라잇'과 '염염' 콤비가 귀여워 한참을 쳐다보다가 불현듯 깨달았다.

올라잇이 아니라 '오라이'구나.

'배추 오라이'는 양념 작업자들의 배추 수급 컨베이어 벨트에 절임 배추가 모두 올려지면 울려 퍼지는 말이었다. 배추 컨베이어를 작동시키라는 뜻이었다. '염염'은 그 뒤에 이어졌다. 짐작하셨나? '양념'이다. 배추가 올라왔으니 양념 받으란 뜻이었다.

양념은 원래 '약 약藥'자에 '생각할 념念'자를 붙여 만든 말

이다. 온갖 재료가 드는 만큼, 약의 효능을 생각한다는 것이다. 김치 하나를 만들기 위해서는 마늘부터 생강까지 오만 가지 재료가 들어가는데 정말 약을 달이는 만큼의 정성과 끈기가 필요하다.

육수만 봐도 그렇다. 다시마부터 사과, 홍합에 마른오징어까지 열두 가지 재료가 기본으로 든다. 거기다, 오랜 시간을 들여 찹쌀풀을 쑨다. 물김치는 또 어떤가. 베보자기에 온갖 재료 갈아 넣지, 고춧가루 안 들어가게 한참 짜내어 맑은 국물을 내리지. 약 달이는 마음과 크게 다르지 않다.

그러나 이렇게 애를 써도 배추가 별로면 다 소용이 없다. 포기김치의 함량을 보면 보통 배추가 74퍼센트 정도인데, 74퍼센트가 맛이 없으면 무슨 양념을 하든 맛이 없기 때문이다.

그래서 배추 세척조에 서 있으면 그러지 말아야지, 하면서도 일희일비하게 된다. 배추가 늘 마음에 쏙 들 수는 없지만 그날 건져 올리는 배추 상태가 좋으면 기분이 좋다. 하루 종일 의기양양하다.

좋은 배추는 김치 생산의 전부라 해도 과언이 아니다. 그래서 지난여름, 냉장창고 온도를 못 맞추어 기껏 산지에서 수확해 온 배추의 절반을 다 갖다 버리게 됐을 때, 우리는 사장님이 쓰러지지 않은 것만 해도 정말 다행이라고 생각했다.

"많이 파는 거 전 싫어요. 조금 팔려도 내 맘에 들게 만든 날이 좋아요. 그런 날은 고객님들에게 다음이 있거든요. 많이 팔면 뭐 해. 고객 맘에 안 들면 다음이 없는데."

사장님이 어느 인터뷰에서 이런 말을 한 적이 있는데, 내 마음이 딱 그렇다. 배추 상태가 안 좋은 날은, 이 김치를 받아 든 사람들에게 꼭 다음이 없을 것만 같다. 배추 신용불량자다. 얼굴도 모르는 고객님들이 빚쟁이처럼 무섭다.

멀리 컨베이어 벨트에 실려 오는 배추들은 항상 좋은 배추다. 노랗고 예쁘다. 중간만큼 오면, 좋은 배추일 것만 같다. 눈앞에까지 오면 상상했던 그만큼의 배추가 아니고 만다. 좋은 배추였다가, 좋은 배추일 것이었다가…. 배추를 기다리고 있으면 오만 생각이 다 든다.

그렇다 보니, 배추는 김치 공장을 판단하는 척도가 되기도 한다. 우리 공장 인근의 다른 김치 공장이 잘 안 되어 문을 닫는 바람에 그곳 여사님들이 우리 공장으로 대거 이직해 왔는데, 그때 우리 배추를 보고 여사님들이 이렇게 말씀하셨다고 한다.

"이게 김치 공장이지!"

하품 배추만 쓰다가 우리 공장에 오니 배추가 제대로 되어 좋다는 것이다. 그런데 영어에는 이런 표현이 있다. '책 커버만 보고 내용을 판단하지 말라.' 이 말이 김치 공장에 오면 이렇게 바뀐다.

'하루 배추만 보고 그 공장을 판단하지 말라.'

계절은 어찌나 혹독하고, 배추는 어찌나 예민한지. 배추 좋은 날이 있으면 안 좋은 날도 있다. 그래도 어떻게든 그날그날 최선을 다해 가장 좋은 김치를 만드는 것, 그게 김치 공장이다.

그러니 오늘도 기도한다.

배추는 올라잇하고, 양념은 염염하기를.

너, 퇴직금은 어쨌어?

회사원이라면 누구나 마음속에, 아 저분과 꼭 한 번 일해보고 싶다, 하는 사람이 있을 것이다. 내게는 미음 CD[■] 님이 그랬다.

아버지는 말하셨지, 인생을 즐겨라.

바로 이 카피를 쓰신 분이다. 미음 CD님은 내 또래 카피라이터들에게는 전설 같은 분이셨다. 나는 내 카피는 못 외워도 미음 CD님 카피는 열 문장도 더 욀 수 있다. 그런 CD님이 사내 교육 프로그램에서 연사로 나와 이렇게 말씀하셨다.

“뭐를 하라고 해서, 그냥… 좋아하는 것 좀 이야기해 보려고요.”

■ [illegible] Creative Director의 약자다.

그날의 강의명은 분명 '크리에이티브 훈련법' 같은 것이었지만 미음 CD님은 아주 긴 시간을 들여 〈그것이 알고 싶다〉의 베스트 에피소드 3편을 소개했다. 그리고 아주 잠깐 동안 그것을 모티브로 만든 '에버랜드 로스트 사파리' 광고를 소개했다. 김상중 씨가 사자의 목소리를 더빙해서 에버랜드 사파리를 소개하는 영상이었다. (나의 최고 애정 광고이다.)

'좋아하는 게 있어야 재미있는 크리에이티브가 나온다.' 미음 CD님은 말씀하셨다. 봉준호 감독의 수상 소감과도 닿아 있지 않은가. '가장 개인적인 것이 가장 독창적인 것이다.' 이 말에 나는 완전히 꽂혀버렸다.

그래서 현실감이 사라졌던 것이다. 나의 퇴직금 2천 800만 원이 얼마나 큰 돈인지. 그 돈이면 우리 사무실 컴퓨터를 다 바꾸고도 천만 원이 남는다. 2천 800만 원이면 스마트 입출고 관리 시스템을 도입하고도 돈이 남아 방충 커튼을 바꿀 수 있고, 냉장창고 열두 동의 온도계를 모두 전산화할 수 있다. 대리점 피박스 수천 개를 살 수 있고, 지게차를 추가로 빌릴 수 있고, 5천 평짜리 배추밭 계약금을 능히 치른다. 나는 내 9년간의 노고가 담긴 퇴직금을 털어 유튜브 영상을 만들었다. 딱 하나.

내가 전 직장에서 제작 회의에 들어갈 때마다 제안했던, 내가 정말 좋아하는 유튜버 ㄱ님께 영상 제작을 의뢰했다. 출근할 때도, 퇴근할 때도 나는 ㄱ님이 만든 우리 김치 노래를 들었다. 회사에 학생들이 견학 왔을 때도 그 노래를 틀었다. 홈쇼핑 MD님과 PD님께도 들려드렸다. 그런데 돈이 없으니, 잘 만든 컨텐츠를 매체력 있게 전파할 수가 없었다. 엎친 데 덮친 격으로, 시기를 맞추어 계획했던 우리 홈페이지의 리뉴얼이 영상 공개보다도 늦어졌다. 거기에다 내 퇴직금을 받는 데 작은 문제가 생겨 지급도 제때 하지 못했다.

큰 대행사에 있을 때는 콘텐츠만 잘 만들면 퍼 나르는 것은 매체팀이, 캠페인 관리는 기획팀이, 정산은 PM팀이 다 알아서 해줬는데, 그래서 몰랐다. 이제는 이 일도 내 일이라는 것을!

오죽하면 이사님이 역으로, "부사장님, 이거 우리가 만든 거 맞아?"라고 물어보셨다. 따님이 너무 좋다면서 영상 링크를 줬는데, 이사님은 아는 바가 없어 우리가 만든 게 아니라고 했다는 것이다. '좋았다'는 피드백에 또 쑥스럽게 웃으며 "제 퇴직금이에요"라고 말하자, "아니 이 좋은 걸 만들어두고 왜 광고를 안 해!"라는 질책이 이어졌다. 세상에, 나 광고회사 다니다 왔는데.

ㄱ님께 제때 내 퇴직금을 드리지 못하여, 은행을 전전할 때 엄마는 말했다. "아무리 네 돈이어도 그 큰돈을 쓰면서 어쩜 상의도 안 하니. 너 앞으로 그런 데 돈 쓸 거면 뭐 한다는 소리도 하지 마!" 그 말이 서러워 나는 은행 창구에서 혼자 눈물을 뚝뚝 흘렸었다.

이것도 마음대로 못 하게 할 거면 회사 잘 다니는 애 왜 오라고 했어.

이제야 절절히 깨닫는다. 좋아한다고 냅다 달겨들기에는 이 작은 회사에서 그 돈이 얼마나 큰 것이었는지를. 우리 브랜드를 재미있고 풍성하게 해줄 이야깃거리도 중요하지만, 당장 눈앞의 공장 운영에서 더 중요한 건 무엇인지를.

내 퇴직금은 유튜브 영상에 가끔 달리는 '그 김치 맛없어요'라는 슬픈 댓글과 함께 반짝이고 있다. 어떤 유튜버처럼 '철이 없었죠' 하고 아련한 표정을 지어야 할까. 나는 이 퇴직금을 이정표 삼기로 했다. 대행사에서 광고주로 건너오며 남긴 표지판.

엄마가 항상 하는 말이 있다. 일을 어렵게 하지 말라고. 일은 재미있게 하는 거라고. 안 그러면 오래 못 한다고. 그게 재미있는 일만 하라는 뜻은 아니었음을 새삼 깨닫는다. 언젠가는 재미있고 즐거운 프로젝트, 내가 정말 좋아하는 것들로 회사 일을 채우고 싶다. 하지만 지금은 일단, 지급부터 확실하게.

그렇게 재미만 생각했다가 큰 폐를 끼친 ㄱ님께 항상 반성하는 마음으로 살고 있다. ㄱ님, 그때 늦은 지급 이해해 주시고 또 이해해 주셔서 감사합니다. 그 이후로, 통장에 들어 있는 돈도 다시 보고 계약합니다. 유튜브 다이아 버튼까지 승승장구하시길 기도할게요. 저희의 작업이 너무 나쁜 기억만은 아니었으면 해요.

언니 언제 결혼해요?

생산팀, 가나의 이야기

어느 목요일 저녁, 가나와 퇴근하던 날의 대화.

나 가나, 집에 안 가고 뭐 해요?

가나 주임님 기다려요. 주임님이 집 태워다 줘요.

나 나 집에 가는 길인데 내가 태워다 줄게요.

가나 오~ 좋아요~

나 저 초보 운전이니까, 조금 무서워도 잘 참아요~!

가나 괜찮아요. 집에만 가면 돼.

나 요새 일 많아서 힘들죠?

가나 아뇨, 지금 정도 딱 좋아요. 홈쇼핑 방송 더 있어도 돼요.

나 헐, 지금보다 더 많으면 퇴근이 너무

늦어지잖아요.

가나 돈 많이 벌어야 돼요.

나 돈 많이 벌어서 뭐 할 거예요?

가나 시집도 가고, 몽골에서 무역할 거예요.

나 오, 가나! 그러면 우리 김치 팔아요, 몽골에서.

가나 언니! 그렇게 해요. 몽골에서 팔아주세요.

나 그런데 몽골 사람들도 김치를 먹어요?

가나 몽골 사람들 한국에서 일 많이 하다 가니까, 돌아가서 김치 찾는 사람들 있어요. 근데 지금 몽골에는 '엄마맘김치'라는 거 있어요. 그게 제일 잘 팔리는데, 언니가 몽골에서 김치 팔아주세요. 내가 가서 할게요. 잘할 수 있어요.

나 와, 그러면 진짜 너무 좋겠다.

신호를 기다리는데 가나가 화제를 바꾸었다.

가나 언니 친구들은 다 시집갔어요?

나 간 친구들도 있고 아닌 친구들도 있어요.

가나 언니는 결혼 언제 해요?

나 왜요? 난 결혼 안 하려고 하는데.

가나 맛있는 거 먹고 싶어서요. 결혼식 가면 맛있는 거 많아서 좋아요. 언니, 올해 결혼하세요.

나 맛있는 거 먹고 싶어서 결혼하라는 거예요?

가나 네.

가나의 말에 한동안 웃었다.

나 가나는 결혼하고 싶어요?

가나 결혼은 하고 싶긴 한데, 잘 모르겠어요. 한국에서 오래 살아서 몽골 가면 답답하고, 몽골은 잠깐만 가면 좋은데, 사람 만날 수가 없어요. 그래도 한국에 혼자 있으니까 가끔은 외롭고 무서워요. 지난번에 몽골 식당 갔다가 식중독 걸렸는데 엄마 많이 보고 싶었어요. 엄마도 오지를 못 하니까 나한테 화냈어요. 와서 돌봐줄 수 없으니까. 그럴 땐 결혼하고 싶다고 생각해요. 그런데 만날 사람 없어요.

나 가나는 착해서 기회가 되면 좋은 사람 만날 것 같아요. 꼭 좋은 사람 만날 수 있게 기도할게요.

가나 근데 괜찮아. 다 포기했어.

갑자기 튀어나온 반말이, 갑자기 튀어나온 찐한 진심 같아서 웃겨 죽을 뻔했다.

가나　　언니는 조카 있어요?
나　　있어요, 둘.
가나　　동생은요?
나　　동생도 둘 있어요.
가나　　그중에 더 마음 가는 동생도 있어요?
나　　나는 딱히 그런 건 없어요. 다 똑같아요.
가나　　어떻게 그렇지? 나는 남자 동생이랑 여자 동생 있는데, 남자 동생이 더 예뻐요.
나　　아니 왜? 나이 차이가 어떻게 돼요?
가나　　남자 동생은 여섯 살 어리고 여자 동생은 두 살 어려요. 근데 여자 동생은 괜히 미워.
나　　여자 동생이 말을 잘 안 들어요?
가나　　약간 그래요. 내 말 안 듣고, 돈 많이 써. 엄마 걱정 많이 시켜.
나　　동생들은 어딜 가나 그렇구나.
가나　　근데 남자 동생은 안 그래요. 남자 동생은 술도 많이 안 먹고 착해요.

술 얘기하니 갑자기 궁금한 게 떠올랐다.

나 몽골 사람들은 술 뭐 마셔요? 다 보드카?

가나 보드카 많이 먹고, 한국 와서는 소주 많이 먹고.

나 오, 가나도 술 잘 마시죠?

가나 옛날엔? 그랬죠.

나 근데 지금은?

가나 지금은 맥주 두 캔만 마셔도 졸려. 못 마시겠어.

나 나도 그래요. 공장 일이 피곤해서 그런가 봐.

가나 오늘은 비 와서 맥주 마시고 싶어요.

나 크, 정말. 맥주만 마셔도 좋을 날씬데.
근데 몽골에서는 해장으로 뭐 먹어요? 수태차■?

가나 어우, 수태차. (폭소) 수태차 절대 아니죠.

나 엑, 그 정도로 이상해요? 나는 해장으로 초코 우유 마시는데.

가나 수태차 생각만 해도 토할 것 같애.

나 그럼 뭐로 해장해요?

가나 한국 와서는 우리 다 라면 먹었어요. 라면이

■ 홍차 잎과 우유를 첨가해 끓이는 차로, 몽골에서 일상적으로 마신다.

최고예요. 김치찌개도 좋아요.

나 아, 다 얼큰한 거 드시는구나.

가나 나중에 우리 술 먹어요.

나 오, 너무 좋아요. 나 허르헉■ 먹어보고 싶었어요.

가나 오, 허르헉 알아요?

나 알죠. 너무 먹어보고 싶어서 몽골 음식점 갈 때마다 물어봤는데, 예약해야 된대서 못 먹었어요.

가나 그거 우리 여름 축제 때 먹는 거예요. 여름에 호수 같은 데 놀러 가면 그거 해 먹어요. 정말 맛있어요.

이제 어느덧 가나의 집 근처에 다다랐다.

가나 나 예전에 한국에서 대학 다닐 때, 인문대 다니는 친구들이 경영대 다니는 친구들 많이 부러워했어요.

나 아, 알 것 같은데. 왜 그랬는지. 인문대는 맨날 안 좋은 건물이잖아.

■ 몽골의 전통 육류 찜 요리로, 즐거운 날 함께 먹는 음식이다.

가나 언니 나온 학교도 그랬어요? 근데 우리 친구들이 경영대 친구들 부러워한 이유는 그거 아니에요. 경영대 교수님들 돈 많아, 잘생겼어, 맛있는 거 많이 사줘.

나 아!

가나 경영대 교수님 중에서 무역 많이 하시는 분이 우리 맛있는 거 많이 사줬었어요. 그때 여러 가지 많이 먹었는데, 가끔씩 그 교수님 생각이 나요. 교수님 아들 결혼할 때 맛있는 거 많이 먹었거든요.

나 아, 그래서 자꾸 결혼하라는 거구나.

가나 맞아요. 언니 결혼해서 우리 맛있는 것 좀 먹게 해주세요.

나 그때 말고, 그냥 다른 때 맛있는 거 사줄게요.

엉뚱한 가나를 내려주며 손을 흔든다.

나 가나, 잘 가요! 맥주 마시는 거 잊지 말고.

가나 안녕~!

이 대화 이후 가나는 나에게 두 번이나 술을 사줬다. 한 번은 에덴이라는 보드카였고, 두 번째는 노마드라는 보드카. 나는 가나에게 어떤 술을 사줘야 할까. 아직도 고민이다. 사장님께 가나에게 받은 선물을 어떻게 보답할까 고민이라 말씀드리니 이렇게 말하셨다.

"그 맛에 사장하는 거다."

2장. 두 유 노우 김치?

김치의 오타

단 하나의 이물도 나오지 않는 김치 공장이 있을까?

어느 날 내가 화장품을 만드는 친구에게, "야! 너넨 이물 걱정은 없어서 좋겠다"라고 말하니 그가 말했다. "야! 화장품 이물이 얼마나 까다로운데!" 얘기를 들어보니 화장품 회사의 이물은 눈에도 잘 안 보이는 가루, 포자 수준이었다. 피부에 닿는 거라 소비자들이 얼마나 까다로운지 모른다고도 했다.

어느 제조 회사나 이물 선별에 최선을 다한다. 안 좋은 원재료와 돌멩이, 나뭇잎 같은 이물을 골라내는 작업이다. 제품의 품격을 높여주는 일이다. 맛있는 양념과 좋은 원재료를 준비했어도 단 하나의 이물 때문에 김치 전체가 꽝이 되니까.

김치 공장에서 모두가 피하고 싶은 일이 있다면 그건 아마도 열무 선별이 아닐까. 무성한 열무잎 사이사이 이물 선별에 집중하는 일은 숨이 막힌다. 하얀 컨베이어 위로 초록색 열무들이 지나간다. 사이사이에 숨어 있는 벌레들을 잡는다. 우리 공장은 배추 세척 라인도 크지만, 열무를 비롯한 기타 재료를 세척하는 라인도 어마어마하게 크다. 열무가 세척되는 과정도 그만큼 길고 복잡하다. 먼저 절임실에서 다듬어진 열무들이 기다란 컨베이어를 타고 내려와 커다란 수조 통에 빠진다. 수조 속에는 물대포 4대가 있는데, 끊임없이 버블 물기둥을 쏘아댄다. 바락바락 씻긴 열무들이 경사 세척대를 두 번에 걸쳐 오르락내리락하며 이물들을 털어낸다. 그러고 나면 다시 또 큰 물통 속으로 떨어져 사람들의 손에 씻긴다. 이렇게까지 하는데도! 아니, 도대체 이놈의 달팽이들이 어디에 숨어 있던 걸까. 열무를 다듬으면서 이미 다 골라낸 것 같은데도 세척하다 보면 한두 마리씩은 꼭 나온다. 그래서 세척 과정에서 달팽이가 한 마리도 안 나온 날은 안심되는 게 아니라, 어딘가 숨어 있지는 않을까 전전긍긍한다.

마치 오타와도 같다.

아무리 맞춤법 검사기로 확인하고, 사전으로 확인해도 어째서 출고한 뒤에야 오타가 발견되는 것일까. 광고회사 2년차 때였다. 오타 검수를 하고 또 했는데, 신문 광고가 게재된 아침에 AE* 에게서 연락이 왔다. 오타가 있었다는 것이다. 그것도 광고주의 이벤트 사이트 링크에! 그걸 교체하고 수습하느라 모두가 종일 진땀을 뺐다. 그런데 그 고생을 하고 난 뒤에도 오타는 항상 메일을 보내고 난 뒤에, 운영하는 소셜 채널에 게시물을 올린 뒤에, 방송을 탄 뒤에 가장 보지 않았으면 하는 사람들이 가장 먼저 발견하고 만다.

사장님이 공장을 연 지 얼마 안 됐을 때, 어떤 소비자가 우리 김치에서 휴지가 나왔다고 클레임을 걸었다. 사장님은 우리 공정상 절대 나올 수 없는 이물이라며 고객님께 오히려 역정을 냈다고 했다. 사실 공장에 와서 보면 알겠지만, 현장에는 휴지 자체가 없다. 도대체 그게 어떻게 들어간 걸까. 이후 고객님께는 깊이 사과를 드리고, 생산 라인 곳곳에 CCTV도 설치했지만, 사장님은 이 일을 두고두고 속상해했다. 그래서 언젠가 우리 제품을 납품하는 대기업 사장님을 만났을 때, 그 소비자가 블랙컨슈머는 아닐까 싶다며 고민을 털어놨다. 그러자 그곳 사장님이 이렇게 말했다고 한다.

"사장님, 두고 보세요. 더한 것도 나올 거예요. 정말 상상할 수 없는 게 나와요. 그게 공장이에요."

공장의 위생이 더럽다거나, 관리가 안 된다는 뜻에서 한 말은 아니다. 사람이 하는 일이다 보니, 상상할 수 없는 온갖 일이 일어난다는 것이다. 왜 아닌가. 집에서 내가 먹을 것을 요리할 때만 해도 그 잠깐 새에 머리카락이 홀랑 들어가지 않던가. 하물며 이렇게 많은 사람이 모여 어마어마한 대량 생산을 할 때는 어떨까. 그러니 모든 가능성을 염두에 두고 방지 대책을 세워야 한다.

알면 알수록 김치를 담그는 것은 백자를 빚는 일과 비슷하다는 생각이 든다. 모든 가능성 속에서 완전무결한 백자를 만드는 것. 어떤 이물도, 어떤 티도 허락지 않는 순백의 백자를 빚는 것. 그 어떤 조명도 울림도 없지만, 어느 단정한 식탁 위에 올렸을 때 저 스스로 완성되는 단 하나의 백자, 그것을 빚는 일. 그런 마음으로 김치를 배운다.

노 빠꾸

빠꾸

유명한 회장님들에게는 전설이 따라다닌다. 예를 들면 정주영 회장. 그가 탄 차에는 후진이 없다고 한다. 이런 불문율을 모른 프랑스 현지 기사가 공항에서 정주영 회장의 차를 후진시켰다가 그 자리에서 해고되어, 현대가 큰 손해배상을 했다는 소문이 있었다. 사실 여부는 알 수 없지만, 그만큼 큰 회사를 일군 사람들에겐 남다른 기벽이 있을 거라는 세인의 편견에서 비롯된 이야기가 아닐까. 애초에 평범한 고집으로는 사업이 시작조차 되지 않았을 것이다. 주변에서 뜯어말려도 사업을 벌이고 어떤 날벼락도 꿋꿋이 견뎌낸 이들의 고집이라면, 평범한 이들의 것과는 달라도 크게 다르겠지.

빠꾸가 없다는 정 회장님처럼 우리 사장님, 나의 어머니도 '노 빠꾸' 철학을 고수 중이시다. 특히 '빠꾸' 앞에서는 절대

노 빠꾸다. 무슨 소리냐 하면, 어느 날 출근을 했는데 고춧가루가 팔레트째 마당에 방치돼 있었다. 왜 빨리 창고로 옮기지 않는지 입고 담당자께 여쭈니,

"빠꾸요, 빠꾸."

라고 했다. 아니, 왜요? 아, 사장님이 색깔이며 메쉬(입자 크기)며 다 안 좋다고, 돌려보내래요. 사정은 이랬다. 근 1년간, 가격을 좋게 줄 테니 거래를 트자고 부탁해 온 곳이 있는데, 하도 통사정을 하기에 한번 제품을 받아봤다. 들어온 고춧가루를 현장에 들여놓았는데, 그걸 본 사장님이 단번에 "고춧가루 색깔이 왜 이래? 바뀌었어?" 하셨다고. 그러더니 역시나 싼 거 다 소용없다고 반품 보낼 준비 중이었다는 것이다. 사장님은 안 좋은 원물을 빠꾸시키는 데에 언제나 무서울 정도로 단호하고 주저함이 없다. 그의 빠꾸 결정은 노 빠꾸다.

한편 사장님은 십수 년째 원가 분석을 하지 않는다. 그래서 나는 아직도 우리 포기김치의 원가를 정확히 모른다. 사장님의 지론은, 그달에 쓴 돈과 번 돈을 합해 마이너스만 안 되면 된다는 것이다. 세상에, 이게 얼마나 무서운 말인지 여러분은 모를 것이다.

비교적 최근까지도 우리 깻잎김치는 양조간장 501s로 만들었다. 501이 아니고 501s다. 501s는 샘표 간장의 고급 라인인데, 평범한 간장들보다 병당 4천 원 더 비싸다. 그 간장으로 급식 깻잎김치를 담가 보낸다. 그 이후, 지속적인 입고·경리팀의 불만 제기에 현재는 501로 바꾸었지만, 이마저도 소매가 기준으로 저가 간장보다 2천 원은 더 비싸다. 대부분 대량 생산 공장에서는 저가 공산품을 활용해 원가를 낮추는데, "만지기도 싫은데 그걸로 어떻게 김치를 담가", 사장님의 계산은 항상 이런 식이다.

물론 사장님은 돈을 쓰기도 잘 쓰지만, 깎기도 잘 깎는다. 품질팀이 가장 두려워하는 시간은 거래처에서 나온 현장 실사겠지만, 그다음을 꼽으면 아마 입고 검사 시간 아닐까. 기준에 못 미치는 원물을 반품이나 감량 없이 받으면, 이따위 걸 받았냐며, 거짓말 조금 보태 사장님의 목청에서 불벼락이 떨어진다.

그래서 어느 인터넷 커뮤니티의 김치 추천 글에서 '저는 ○○○ 김치 먹어요. 남편이 화물 기사인데, 거기는 물건을 엄청 까다롭게 받는다고 하더라고요' 이런 댓글을 보았을 때, 아, 이 고생을 누군가는 알고 있구나 싶어 마음이 놓였다.

사장님의 생각은 한결같다. 입고를 허투루 하면, 허투루 보내도 되는 줄 안다고. 물건은 이래도 되나 싶게 박하게 받아야, 개중에 좋은 것을 골라서 보내준다고.

사장님이 싫어하는 홈쇼핑 방송 멘트가 몇 가지 있는데, 그중 하나가 '김치 싸다'는 말이다. "이렇게 많은 김치가, 이렇게 싸다!" 아무래도 짧은 방송 시간 중에 많은 소비자에게 어필하려면 이 말보다 좋은 게 없다. 하지만 사장님은 쇼호스트의 이 말이 탐탁지 않다. 홈쇼핑 스튜디오에서 우리 제품의 원재료를 전시할 때면 미술팀분들이 종종 중얼거리신다. "아이고, 또 한 바가지 왔네, 뭐가 이렇게 많아." 그 온갖 재료가 다 우리 김치에 들어간다.

유명 모델이 있는 것도 아니고, 대기업 브랜드파워가 있는 것도 아니다 보니 싼 김치라고 말하면, 정말 싼 재료로 대충 만든 줄 알까 봐, 사장님은 그게 제일 두렵고 싫다. 얼마나 어렵게 빠꾸를 놓고, 얼마나 힘들게 싸워서 얻어낸 재료와 가격인데, '싸다'는 말은 너무 속이 편하다.

"와, 사장님, 이렇게 맛있는데, 어떻게 이렇게 싸요? 이거 뭐 마법 아니에요?"

한번은 쇼호스트분께서 이렇게 말씀하셨는데, 사장님은 이 말에도 정색하고 첨삭하셨다.

"마법이 아니라 계절이죠. 계절에 맞추면, 맛이 없을 수가 없어요."

오이값이 비쌀 때 오이김치를 하고, 갓이 비쌀 때 갓김치를 팔고, 배추 파동 나서 다들 미쳤다고 할 때도 매진 처리 없이 부지런히 담가 파는 그 고집. 아휴, 누가 말리랴.

비닐을 끼우며

성공이,

실패 딸이에요.

요새 인터넷 커뮤니티에는 속담을 최대한 저급하게 말해 보자는 밈이 있다. 내 눈에 콕 박힌 건 저 문장이다. '실패는 성공의 어머니'를 이보다 기막히게 현대화할 수 있을까. 이 표현을 우리 공장에 적용해 보면 이렇게 말할 수 있다.

지혜,

필요 딸이에요.

날 때부터 지혜로운 사람은 아무도 없다. 아무 문제가 없는 사람에게 지혜가 생길 리 만무하다. 그래서 해결해야 할 문제로 가득한 공장은 지혜의 전당이다. 우리 공장의 동선과

설비들을 보면 정말 그렇다.

예를 들면 비닐. 우리 김치는 두 겹의 비닐에 포장되어 나간다. 제품과 직접 닿는 속 비닐과 그 속 비닐이 담기는, 제품명이 인쇄된 겉 비닐. 그럼 이 두 장의 비닐을 어떻게 한 세트로 만들까.

도구를 쓰는 호모하빌리스의 명석한 두뇌는 공장에서도 빛을 발한다. 우리 공장 포장실에는 작은 네모 옷걸이를 닮아 내 가슴께까지 오는 도구들이 있는데, 비닐을 끼우는 용도로 쓰인다. 편의상 비닐 꽂이라고 해보자. 비닐 꽂이에 먼저 속 비닐을 끼운다. 그리고 그 위에 겉 비닐을 끼운다. 그렇게 끼운 비닐 두 장을 한 번에 뽑은 뒤 차곡차곡 쌓아서 200장 정도씩 모아 따로 정리해 둔다. 이 비닐 묶음은 포장할 때마다 쓰이는데, 성수기에 우리 공장에서 하루에 나가는 1~5킬로그램짜리 제품이 약 7천 개 정도 되니까, 공장에는 항상 500개 정도의 묶음이 있어야 한다. 우리 공장에는 이 비닐 꽂이가 6호기까지 있는데, 모양이 다 다른 게 포인트다.

"1호기는 원래 ○○식품에서 가져온 거고, 2호기는 그거를 더 좋게 강 이사가 만든 거고, 3호기는 큰 사이즈로도 만

들어보자고 해서 이 부장이 만든 거고, 모서리가 각지니까 비닐이 찢어져서 더 둥글게 만든 게 4호기. 5호기는 발 받침이 후들후들하니까 모양을 바꿔본 거고, 높이 조절을 더 잘되게 한 게 6호기."

방아쇠수지증후군으로 고통받을 때, 비닐 끼우기 담당 정순이 여사님께 여쭈어 알게 된 사실이다. 아, 이 작은 도구에도 이런 역사가 있었다니! 사람은 어쨌거나 끝없이 연구해야 하는 존재다. 그래서 6호기가 가장 인기 많다.

그 외에도 우리 공장에만 있는 대형 절임 통, 2단 세척 다이… 포스트잇처럼 전 세계인이 쓰는 발명품은 아니지만, 공장에는 그 나름 지혜의 소산물들이 곳곳에 있다. 이런 도구들을 보면 참 감동스럽다. 어디에 있든 사람은 상황을 개선하기 위해 항상 머리를 쓴다. 그렇게 해서 만든 것들이 한 집단의 시스템이 된다.

오늘도 이 무명의 발명가들에게 빚을 지어 김치를 포장하며, 위대한 노력에 박수를 보낸다.

발효를

발휘해

모든 '먹는다'는 동작에는 비애가 있다.

– 김훈, 『밥벌이의 지겨움』, 생각의 나무(2007)

"남자가 김치를 버릴 때 어떤 마음이 드는 줄 알아요?"

감수성 예민한 이 문장은 복수의 남자 고객님들이 전화로 하는 말씀이다.

상상도 못 했다. 김치를 버릴 때 남자들이 여자들보다 더 큰 비애를 감당한다는 것을. 고객님은 남자가 노란 종량제봉투에 방금 받은 김치를 쏟아부어 엘리베이터를 타고 내려갈 때 어떤 감정이 드는지, 본인이 왜 그런 기분을 느껴야 하는지 한번 생각해 보라며 언성을 높이셨다. 문득 아빠가 떠올랐다. 어디 가서 이런 말을 하고 다니는 건 아니겠지. 고객님께도 되묻고 싶어졌다. 여자가 남자에게 이런 말을 들을 때 어떤 기분이 되는지 알아요?

신기하게도 그런 말씀을 하는 여자 고객님은 없다. CS 직원을 향한 여자 고객님들의 신신당부는 항상 남으로부터 비롯된다. "우리 남편이 익은 김치는 안 먹어요.", "우리 애들은 겉절이만 먹어요." 여자 고객님들을 가장 화나게 하는 순간도 마찬가지다. 그들은 가족에게 민망하고 부끄러울 때 화를 낸다. "내가 얼마나 민망했는지 알아요? 남편이랑 아들한테 오늘 새 김치 오니까 수육 해놓겠다고 얼마나 자랑을 했는데, 김치 맛없다고 하나도 먹지를 않으니 내가 얼마나 창피했겠어요."

한 어머니의 모습이 선명하게 떠올랐다. 더운 여름날, 김치가 도착한다는 문자를 받고, 송글송글 땀방울이 맺힌 채 장을 보는 그. 오늘 저녁은 모처럼 기분 내야지, 질 좋은 돼지고기 한 근을 끊고, 맥주도 몇 캔 집어 집으로 향했을 그. 무거운 택배를 끙끙대며 옮기고, 김치 포장을 열어 한 입 쭉 찢어 먹곤 '괜찮네' 뿌듯한 미소로 반찬 통에 소담스레 옮겨 담았을 그. 익숙한 솜씨로 얼큰히 된장찌개도 끓이고, 삶아둔 수육이 뜨거워 손을 호호 불며 썰어냈을 그. 맛있다는 칭찬이면 값은 족하지, 부푼 마음으로 푸짐한 저녁상을 차렸을 그. 그런데 뒤늦게 퇴근한 부자식[■] 은 고기를 집어 드는 둥 마는 둥 하다가 말한다. "에이, 김치 맛이 뭐 이래."

억장이 무너지는 순간이다. 무너진 억장 밑으로 깔리는 것은 한 어머니의 하루. 그리고, 그 이야기를 전해 듣는 어느 CS 직원, 그러니까 나의 마음.

누가 먹어도 맛있는 김치라는 광고 말을 쓰기는 하지만, 세상에 그런 김치는 없다. A가 먹으면 맛있는 김치가, B에게는 맛이 없다. 같은 레시피로 만들어도 여름에 다르고, 겨울에 다르다. 어제까지 맛있던 김치가 오늘은 맛이 없어지기도 한다. 사장님은 항상 말한다. 맛은 세 번째라고. 첫째는 위생. 둘째는 재료. 셋째가 맛. 처음 두 가지를 지키면 세 번째는 따라오기 마련이라는 뜻에서 하는 말이지만, 나는 다르게도 들린다. 위생과 재료에는 객관적인 기준이 있지만, 맛만큼은 한없이 주관적이다.

가끔은 옷이나 색연필, 장난감을 만드는 공장이 부럽다. 그 제품들은 공장에서 잘 만들어 내보내기만 하면 걱정이 없

■ 처자식이 아내와 자식을 말한다면, 남편과 자식은 부자식 아닐까.

다. 배송되어 가는 길에 없던 지퍼가 생기거나, 밀봉해 둔 레고 브릭의 색깔이 바뀐다거나 하는 일은 없을 테니까. 그런데 김치 맛은 고객님을 향해 가는 길에도, 고객님의 집에 도착해서도, 냉장고 속에서도 시시각각 변한다. 김치는 공장이 만들어, 고객님이 맛 들인다. 김치 공장과 고객님의 이인삼각, 이 경기가 공장에는 얼마나 혹독한지 모른다.

발효라는 시간의 마법. 그것까지 우리가 부릴 수 있어서 김치의 시간을 멈춘 채로 보낼 수 있다면 얼마나 좋을까. 김치 공장에서는 '미쳤다'는 말을 조금 다르게 쓰는데, '김치가 미쳤다', '미친 김치다' 정도로 활용된다. 급식을 먹고 자란 사람들은 '미친 김치'를 한 번쯤 경험했을 법하다. 갓 담근 김치의 겉절이 시기는 지났으되, 익은 김치의 안정된 맛에는 미치지 못한, 양념은 익어가는데 배춧잎은 아직 설익어 네 맛도 내 맛도 아닌 상태를 말한다. 이런 김치를 먹으면 고객님들이 공장 전화번호를 아니 누를 수가 없는 것이다.

"김치가 맛이 없어요."
"고객님, 언제 구매하셨어요?"
"1년 전에요."

"김치가 이상해요."
"고객님, 언제 구매하셨어요?"
"6개월 전에요."

"김치에 하얀 게▪ 꼈어요."
"고객님, 언제 구매하셨어요?"
"작년 봄에요."

'아이고, 고객님'으로 시작되는 난처한 양해 말씀을 드리면, 아니 그럼 김치를 숙성해 먹지, 내가 1년 뒤 김치 맛을 어떻게 알고 미리 보상받냐는 고객님들의 말씀이 이어진다. 그러게요, 정말 이런 부분까지는 생각을 못 했는데요.

배추나 무, 고추가 자라기까지 걸리는 시간은 평균적으로 60~100일이다. 마늘이나 생강은 수확까지 반년 정도가 걸린다. 반년의 햇살을 품은 각종 채소, 한 시간 이상 끓인 육

▪ 이건 골마지라고 한다. 오래 묵은 김치 표면에 하얀 곰팡이 같은 게 생긴 것을 본 적이 있을 것이다. 김치가 발효되면서 자연스럽게 생기는 효모층인데, 김치가 양념 속에 잠기지 않고 공기와 닿으면 더 쉽게 생긴다. 골마지는 독성이 없어 섭취해도 무방하지만 처음 보면 놀라기 쉽다.

수, 찹쌀풀로 양념소를 만들고, 열두 시간 절인 배추에 소를 채워 김치를 담근다. 그리고 다시 30일, 60일, 1년 이상 숙성하여 맛을 들여 먹는다. 김치는 숙성되는 중에도 끼니마다 밥상에 올라 시험을 치른다. 매 끼니 누군가의 기분을 좌지우지한다. 이제 보니 김치 속에는 수많은 사람의 배춧잎 같은 시간이 켜켜로 쌓여 있다. 그러니 안 어려울 수가 있나.

출고장에 늘어선 뽀얀 택배 상자들을 바라볼 때면, 그 안에 든 빨갛고 싱싱한 김치들을 생각할 때면, 삼신할머니의 마음을 알 것만 같다.

최선을 다해 보낸다. 부디, 너의 발효력을 제대로 발휘해 줄 수 있는 분께 가라.

김치공장의 샤카

갈은 세계를 공유하는 사람들끼리는 그들만의 인사법이 있다. 록 페스티벌에 가면 서너 번째 손가락을 접고 나머지 손가락은 편다. 이건 평화와 록 스피릿의 상징이다. 서퍼들끼리는 '샤카'를 한다. 엄지와 새끼손가락을 펴고 나머지 손가락은 접는다. 이 손가락은 반갑다는 인사부터 응원까지 만능의 메시지를 담고 있다. 물 공포증이 있는 내가 마침내 파도(라고도 할 수 없는 잔잔한 수면) 위에 섰을 때, 선생님이 내게 샤카를 해주었는데, 그게 참 좋은 기억으로 남았다.

김치 공장에도 샤카가 있다면, 어떤 모양일까.

단언할 수 있다. 네 번째 손가락을 접고 나머지를 펴는 것이다. 방아쇠수지증후군을 앓게 되면 이런 모양이 된다.

공장에서 밤낮없이 (그야말로 밤낮이 없다. 공장 밖에서는 잠만 잤으니까) 하루에 오이 약 3천 개씩, 열무는 약 700단씩, 자르고 썰고…. 그런 생활을 한 3주쯤 하다가 모처럼 친구네 집에 놀러 간 날이었다. 오랜만에 밤늦게까지 친구랑 맥주를 마시고 잠들어 나는 기분이 좋았다. 그런데 다음 날 아침, 친구가 걱정스러운 얼굴로 물었다. 많이 힘드냐고. 나는 응당 해야 하는 일에 힘들어하고, 남이 알아챌 만큼 티가 났다는 게 영 머쓱해서 힘들지만 할 만하다는 취지로 대답을 대충 얼버무렸다. 그리고 며칠 뒤, 네 번째 손가락이 펴지지 않았다.

상상해 보라. 아침에 일어났는데, 오른쪽 네 번째 손가락이 접힌 광경을. 처음엔 너무 웃겨서 눈 뜬 새벽에 소리 내 웃었다. 아니 일을 얼마나 했다고 손가락이 접혀, 깔깔. 근데 손가락을 펴려니까 안 펴지는 것이다. 불현듯 무서워졌다. 왼손으로 오른쪽 손가락을 살살 펴보니까 튕기듯 펴졌다. 좀 아팠다. 그래도 면장갑에, 고무장갑에 손마디가 두꺼워지니 칼을 쥘 수 있어서 또 오이를 잘랐다. 그런데 갈수록 팔꿈치까지 저릿저릿해지는 것이다.

어머, 나 공주과였구나. 이만큼 일하고서 이렇게까지 아프다니. 그렇게 하루 이틀을 견뎠다. 그러다 곧, 잠결에 손가락을 펼 때마다 아파서 잠이 깰 지경에 이르렀다. 몸에 큰 문제가 생긴 것 같은 불안감이 들었다. 이런 일은 처음이었다.

오전 반차를 쓰고 병원에 갔다. 진찰실에 들어가, 손가락을 들어 보이며 심각한 얼굴로 의사에게 말했다.

"손가락이 안 펴집니다."

의사는 말했다.

"볼 필요도 없습니다."

1초 처방에 화가 나려던 찰나, "칼을 많이 쓰시죠?" 의사의 말이 이어졌다. "방아쇠수지증후군이에요. 일 안 해야 낫는데, 일을 안 할 순 없잖아. 물리치료 받고 약 받아 가요. 일 너무 많이 하지 말고." 나는 그렇게 진료 의자엔 앉아보지도 못하고 진찰실을 나왔다. 의사의 편견 어린 처방(나이 찬 여자니 주방 칼을 쓸 것이다)이었지만 그의 진단은 정확했다. (방아쇠수지증후군이 무엇인지는 인터넷으로 찾아보고 확실히 알게 되었는데, 내 증상과 100퍼센트 일치했다.)

공장에 다시 복귀해 칼을 쥐지 않는 일, 이를테면 무를 깎는다든지(채칼을 쓴다), 포장을 한다든지(넷째 손가락을 쓰지 않는다), 포기를 싼다든지의 일을 하고 싶다고 사장님께 말씀드리는데, 생산 주임님이 물었다. "부사장님도 이거예요?" 그가 정확히 넷째 손가락을 접어 보이며 말했다. "반장님도 그래요. 우리 공장에 많아요." 알고 보니 다들 한 번씩은 겪고, 또 내내 시달리게 될 일이었다. 그러면서 모두들 강해지는 것이었다.

모두가 같은 아픔을 앓는다고 해서 개인의 아픔이 사라지는 건 아니다. 다들 겪은 일이라고 해서 결코 내 아픔이 없는 게 되지는 않는다. 갈수록 손은 아파져서, 캔 맥주를 따기도 어려워졌다. 밤늦게 퇴근해서 먹는 캔 맥주가 얼마나 많은 걸 낫게 하는데…. 현장을 걷다가 눈물이 후두둑 쏟아질 때도 있었다. 코로나로 인력이 반도 나오지 못하던 때였다. 오늘 늦게 끝난다고 해서 내일 일이 줄어든다는 보장이 없는 것이다. 그러자 어른스럽건 말건 체면 따위는 필요 없게 됐다. 친구에게 정말 힘들어 죽겠다고, 근데 고작 이런 걸로 힘들어하는 것도 힘들다고 떠들어 대자, 그가 말했다.

"언니! 좀 쉬어!"

"쉴 수 있어야 쉬지. 지금 쉴 상황이 아니니까 그래."

나는 내 걱정해 주는 사람에게 애먼 짜증을 내는 나쁜 버릇이 있다. 친구가 성이 난 목소리로 말했다.

"언니! 그때 놀러 왔을 때 자면서 울었어! 내가 얼마나 놀

랐는지 알아?”

아, 나는 무슨 추태를 보인 걸까. 며칠 뒤, 집으로 커다란 오븐 장갑이 배달되었다. 손가락 찜질기였다. 친구의 걱정이 잔뜩 담긴 선물에 또 웃음이 나왔다. 아마 김치 공장을 다니는 사람들은 모두 네 번째 손가락 한두 번은 접혀봤을 거고, 그때마다 가족이나 친구들에게 뭉근한 근심이 담긴 애정을 받았을 것이다. 그 생각을 하면 마음이 좀 뜨끈해진다. 모든 이에게 이런 친구를 두는 행운이 있지는 않겠지만.

그래서 이런 생각이 드는 것이다. 김치 공장을 다니는 사람들이 만나면 ‘방아쇠수지증후군 샤카’를 해도 좋을 것이라고. 우리가 이 생업이라는 굴레를 벗어나기는 참 어렵겠지만, 그럼에도 하루하루 어떻게든 살아가는 게 참 기특하지 않냐고. 내가 너의 아픔을 알고 있으며, 그것이 얼마나 힘든지 알기에 너의 삶을 나 역시 응원하고 지지한다고. 말로 하면 오그라들지만 손으로 하긴 참 편하지 않나. 샤카.

김치 냄새가 난다

존재하는 것의 영혼은 향기다.

– 파트리크 쥐스킨트, 『향수』, 열린책들(2009, 강명순 옮김)

어렸을 때 우리 집은 목장을 운영했다. 작은 길을 사이에 두고, 두 개의 소 우리가 있는 작지 않은 목장이었다. 집 뒤로는 강이 흘렀다. 여름이면 마을 입구서부터 똥 냄새가 진동했는데, 강에서 부는 바람이 마을 안쪽으로 우리 소들의 똥 냄새를 부지런히 실어 날랐기 때문이다. 태어날 때부터 맡은 냄새라 나는 그게 고약한 줄도 몰랐다. 초등학교 5학년, 우리 가족이 목장을 그만두고 무려 시내 중앙에 있는 로터리 앞에 건물을 올렸을 때, 그 건물의 3층으로 이사했을 때, 부엌 겸 거실을 제외하고는 방 한 칸이 전부였던 시골집에서 벗어나 딸 셋에게 각자의 방을 만들어주고, 큰딸의 새 침대에 꽃무늬 이불을 깔며 엄마가 이렇게 말했을 때 비로소 알았다.

"아이고, 바람 분다고 눈치 안 봐도 되니 너무 좋다. 이 바람이 이렇게 시원했네."

아, 그게 냄새나는 바람이었구나.

그렇게 목장을 운영하던 엄마가 공장을 세웠다. 해 뜨기 전에 공장에 나가서 자정이 넘도록 김치를 담갔다. 퇴근한 엄마에게는 항상 김치 냄새가 났다. 그 냄새가 곧 엄마의 열심이었고, 나와 내 동생들을 먹여 살리는 자부심이었다. 엄마의 김치를 먹고 자란 나는, 이제 똑같이 김치 냄새를 풍기며 집으로 돌아온다.

퇴근 후 머리를 두 번씩 감아도, 수건을 빨듯 박박 감아도 김치 냄새가 빠지지 않는다. 린스도 소용없다. 한 셰프님은 평일 저녁 약속이 있는 날에는 속옷까지 몽땅 준비해 다니셨다. 속옷까지 김치 냄새가 밴다고. 정말로 그렇다. 잠든 연인 곁에 누우면 고생했다며, 나를 안아주면서도 그는 이렇게 말한다.

"히, 마늘 냄새."

내가 대답한다.

"이거 돈 냄새야."

웃으면서도 생각한다. 아, 김치 냄새는 마늘 냄새구나. 새삼, 한국 공항에 도착하면 마늘 냄새가 나고, 일본 공항에 도착하면 간장 냄새가 난다는 말이 떠오른다.

우리 공장의 초입에선 항상 김장 냄새가 난다. 아침엔 갓 씻은 갓의 냄새가, 조금 더 있으면 매일 끓이는 육수의 멸치 냄새가 진해진다. 냉장창고 문이 열리면 액젓 냄새가 빈속을 자극한다. 하지만 모든 김치 공장에서 김장 냄새가 나는 것은 아니다. 우리 회사에 찾아온 어느 방송국 PD님의 말씀을 듣고 알았다. 들어서자마자 썩은 냄새가 코를 찌르는 곳도 있다고. 그런데 여기는 김장하는 냄새가 나서 '김치도 맛있겠구나' 생각했다고.

냄새가 하는 일이 생각보다 많다. 군침을 돌게 하고, 어느 공장의 원재료 상태를 가늠하게 하고, 한 나라를 대표하기도 하고, 잃어버린 기억(예를 들면, 시큼한 묵은지 찌개 냄새는 나에게 항상 초여름을 떠올리게 한다, 엄마가 그 무렵 항상 김장 김치 자투리로 찌개를 끓여줬기 때문이다)도 떠올리게 하고, 하루 동안 있던 일들을 요약하기도 하고.

스트레스는 지용성이라는 말을 본 적이 있다. 어떤 힘든 일이 생겨도 기름진 음식, 다시 말해 지방으로 스트레스를 녹일 수 있다는 것이다. 김치 냄새는 어떨까. 내게는 분명 수용성이다. 물로는 잘 안 씻기지만 눈물로는 씻긴다. 어떤 날은 현장에서 혼난 일, 아무것도 이루지 못한 것 같은 불안함, 고객들에게서 받은 상처, 이 모든 것들이 끈덕지게 베갯잇까지 따라붙기도 한다. 그럴 땐 조금 쪽팔려도 울고 만다. 나이를 먹었다 해도 눈물 나면 울어야 맞다. 눈물로 씻겨지는 것들이 있다. 김치 냄새도 그렇다.

바라가 말한 바 있다. "누나, 김치 냄새는 맛있는 냄새예요. 우리는 좋은 냄새 맡으며 일하는 거예요." 그러고 보니 그렇다. 소금, 고춧가루, 마늘, 파 냄새…. 멋지진 않아도 하루하루 제법 맛지다.

라라랜드 김치의 날

나의 첫 번째 LA

내가 처음 나간 해외 출장의 목적지는 LA였다. 스마트 워치의 촬영을 위해서였는데, 말만 LA였지 낮에는 현지 프로덕션 사무실에서 일하고 밤에는 한국 시간에 맞춰 호텔 방에서 일하느라, 여기가 할리우드 옆 골목인지 이태원 언덕배기 회의실인지 알 도리가 없었다. 오히려 한국에서 일하는 편이 나은 것 같기도 했다. 당시 인기였던 드라마 <스카이 캐슬>을 안 끊기고 볼 수 있었으니까.

미국에 도착해서 사흘째 되는 저녁이었다. 회의를 모두 마치고 나니 저녁 8시, 우리는 간식이 절실했다. 마트를 가기에 그리 늦은 시간 같지는 않았다. 호텔 뒷편 골목에 큰 한인 마트가 있는 듯해서 함께 출장을 나온 친구와 마트에 도전하기로 했다. 그런데 붙여놔도 어쩜 우리 둘인지! 우리는 평소

부당한 피드백이라도 받으면 어깨부터 추켜세우는 도사견 기질을 지녔음에도 배짱이 좁쌀만 하여 실제 체급은 치와와에 불과했다. 치와와가 백날 짖어봐야 어지간한 핏불테리어들이 꿈쩍이나 하겠나.

마트에 들어갈 때만 해도 해가 떠 있었는데, 문제는 돌아가는 길이었다. 땅거미가 졌다. 모여 있는 무리마다 갱들로 보였다. 마트에서 호텔까지, 단 세 블록. 누군가 우릴 봤다면 동양에서 축지법 자매가 왔다고 생각할 정도로 빨리 걸었다. 그렇게 걷는 동안 나는 상상 속에서 다섯 발의 총을 맞았고, 친구가 지닌 스마트 워치의 심박수는 180에 육박했다. 뛴 것도 아닌데 말이다!

우리는 왜 이다지 쫄보가 되었나. 그것은 LA에 도착하고 처음 탄 택시 기사님의 말씀 때문이었다. 내가 잡아탄 우버의 기사님은 한인분이었는데, LA 치안에 대한 그분의 견해는 이랬다.

"LA 치안이요? LA 살면서 나 위험한 일 한 번도 겪은 적 없어요. 근데 어느 나라나 다 그렇잖아. 위험한 덴 위험하고, 아닌 덴 아니고요. 나 같은 경우에는 1988년 올림픽 때, 내가 돌잽이 우리 딸을 데리고 운전해서 세탁소에 가는 길이었어요. 사거리에서 신호를 받고 기다리는데, 옆에 웬 차가 와서 서더라고요. 그게 이상했어요. 그쪽은 그냥 가면 되는 차선이었거든. 근데 운전석 창문이 쭉 내려가. 갑자기 총이 쑥 나오는 거야. 가진 거 다 내놓으라고. 그때 그 총구가 내 눈앞에 있는데, 거짓말 안 하고, 콧구멍만 한 총구멍이 수박처럼 보였어요. 보조석에는 우리 딸이 있지…. 내가, 그때 갖고 있는 거 시계까지 다 끌러서 줬어요. 살려만 달라고. 아가씨도 그럴 때는 그냥 다 줘야 해요. 괜히 뭐 하나 아끼는 거 의미 없어요. 아무튼 그런 일은 한 번 있었는데, 요즘은 위험한 일 하나도 없죠, 뭐. 위험한 데만 안 가면 돼요."

위험하지 않다는 기사님의 말은 들리지 않았고, 기사님이 겪은 단 한 번의 경험에 몸이 반응했다. 심지어 기사님이 그 일을 겪은 것은 백주 대낮이었다. LA에 도착하자마자 처음 들은 이 에피소드가 그 이후 이 도시의 인상에 지대한 영향을 미쳤음은 말할 필요도 없다. 그리하여 누구도 우리에게 총을 겨누지 않았지만, "헤이!" 하는 거친 목소리, 작은 휘파람 소리 한 번 없이도 그토록 쫄게 된 것이다.

그래서 LA를 떠올리면 항상 그 저녁이 떠오른다. 특히 친구의 하얀 손목 위 스마트 워치가 178, 180을 가리키던 심박수가.

다시 만난 LA

김치 공장으로 이직해 온 데다가, 코로나까지 겹쳤으니 더 이상 해외 출장과는 연이 없으리라 생각했는데 해외 출장 기회는 생각보다 빨리 찾아왔다. 캘리포니아주가 대한민국 외 지역에서는 첫 번째로 '김치의 날'을 지정하고 기념 행사를 갖기로 했는데, 그 행사에 우리가 양념 공급 업체로 초청을 받은 것이다.

LA라면 내가 또 가보지 않았나. 자신 있게 비행기표를 예약하고, 지난번 출장에 머문 호텔을 예약한 것까지는 좋았다. 지난번엔 친구와 함께였지만 이번엔 혼자다. 물론 한인 위주의 행사지만 나 혼자 괜찮을까. 공항에 발을 딛는 순간까지도 걱정이 많았다. 다행히 초청해 주신 미서부한식협회의 이사님께서 처음부터 마지막 날까지 에스코트를 잘해주셔서 심박수가 170 위로 치솟는 일 없이 편히 지내다 올 수 있었다. 그러나 문제는 행사 당일이었다.

김치의 날 일정은 매우 바빴다. LA 영사관에서 여러 귀빈을 초청해 함께 김치를 버무리는데, 그 행사에 쓸 양념은 우리 공장에서 가져왔고 배추는 내가 절여야 했다. 미국에는 한국 배추와 거의 같은 나파배추라는 품종이 있어서 절임만 잘되면 맛있는 김치를 만들 수 있었다. 문제는 나였다. 절임은 바타가 맞춰준 염수로, 사장님이 만든 통에 정해진 눈금만큼 넣어, 공장장님이 계산한 시간만큼 두는 건데, 나 혼자 어이 할꼬.

배추절임은 LA 무궁화 요양원의 구내식당에서 하기로 했다. 무궁화 요양원의 조리 실장님은 나를 한국에서 온 명인으로 알고 계셨다. 아앗, 저도 공장 온 지가 1년이 안 되어서… 라는 나의 말은 조금도 듣지 않고, '태권도의 나라에서 왔는데 이단 옆차기가 안 될 리 있나요?' 하는 눈빛으로 실장님은 이번에 많이 배우겠다고 말씀하셨다.

LA에 머무는 각국의 외교관들이 먹을 배추절임의 총책임자가 나라니! 눈앞이 깜깜했다. 엄마에게 전화를 하고 또 하고, 사진을 찍어 보내고, 영상 통화를 마친 뒤에도 어찌나 불안한지 밤새 절임이 하나도 안 되어 행사를 망치는 꿈만 꿨다. 그리하여 나는 행사 당일 아침 눈을 뜨자마자 무궁화 요양원으로 나섰다.

배추를 보니 걱정대로 절임이 좀 덜 됐다. 무궁화 요양원 실장님과 함께 소금을 새로 치고 세 시간 정도 재워두기로 했다. 지금부터 세 시간, 내가 기다릴 곳이 없었다. 요양원에 앉아 있자니 조리실 직원분들께 미안하고, 호텔로 돌아가려니 우버가 잡히지 않았다. 그리하여 요양원을 박차고 나섰다. 조리 실장님은 요양원 근처 도로가 밤에는 조금 위험하지만, 낮에는 그리 위험하지 않다고 했다.

11월이지만 구 사막의 햇볕은 따가웠다. 노숙인들이 곁을 지날 때마다 간담이 서늘해졌다. 최대한 씩씩하게 걸으며, 속으로 '아, 다행이다. 나에게는 정말로 훔칠 만한 거라곤 정말 하나도 없어 보일 테니!' 생각하며 스스로를 안심시켰다. 한 블럭 한 블럭, 안전해 보이는 카페 하나만 나와라… 하며 걷는데, 저 멀리 '맘스카페'라는 간판이 보였다. 저기다, 딱 저기까지만 가자.

그때 멀리서 어린 남자애가 탄 자전거가 마주 달려왔다. 예전에 독일에서 저렇게 자전거를 타고 달려오던 10대에게 '우뷁베베' 하는, 알 수 없지만 모욕적인 언사를 들은 적이 있었다. 그래서일까, 더 쪼그라들 것 없는 심장이 기어코 바스라지려 했다. 자전거와 마주치기 전에 서둘러 횡단보도를 건너버렸다. 까만 간판의 맘스카페는 영업 중인지 아닌지 확실치가 않았다. 제발 열려 있어라… 안 열려 있으면 또 어디까지 걸어가야 하지…? 블럭과 블럭 사이가 너무 먼 미국의 스케일은 며칠의 체류 가지고는 도저히 익숙해지지가 않았다. 드디어 도착한 맘스카페. 문을 살짝 밀어보니, 열렸다. 주인장은 누가 봐도 한국인의 얼굴이었다. 수줍게 "굿모닝" 하니, 한국인 주인장이 눈치껏 "안녕하세요~"로 화답했다. 그때만큼은 그곳이 에덴동산 그 자체였다!

다 함께 김치

다시 찾은 무궁화 요양원에서 확인해 보니, 나와 조리 실장님의 한미 합작 절임 배추는 아주 맛있게 절여졌다. 우리 사장님의 말대로 이파리가 똑 부러지지 않고 활처럼 잘 휘어졌고, 나파배추 본연의 단맛도 감칠맛이 좋았다.

LA의 내로라하는 한식당 사장님들이 속한 미서부한식협회분들이 모두 한마음이 되어 절임 배추를 이고 지고, 파주에서부터 가져온 김장 양념을 한 접시씩 푸고. 행사 준비를 하는 동안 LA 한식당 사장님들의 눈은 이글이글 타오르는 듯했다.

한국에서 김장 양념을 세 박스 지고 출발할 때 공장 사람들과 내가 걱정했던 건 검문 통과였다. 독일에서 짧은 교환학생 시절을 지날 때, 나는 김치 때문에 곤욕을 치른 적이 있었다. 한국에서 독일로 오는 여정 중에 부풀 대로 부푼 김치가 독일 우체국에서 터져버린 것이었다. 뭐라고 화를 내는 우체국 직원 앞에서 세 살짜리 독일 아이보다도 말을 못 하는 나는 아주 난감했다. 독일 유학 커뮤니티를 보니 이런 식의 경험을 한 사람들이 많았다. 개중에는 이게 사람이 먹는 거냐는 비아냥을 들은 사람들도 있었다고. 그래서 나는 부족한 영어 실력을 박박 긁어모아, 내가 영사관의 초청을 받아 한국의 전통 음식인 김치를 알리러 간다는 문장만큼은 툭 치면 나올 수 있도록 외웠다.

그리고 역시나, 긴 비행시간에도 파손되지 않게 출고 과장님이 혼신의 힘을 다해 테이핑해 주신 아이스박스는 공항 직원들의 이목을 끌었다. 입국 심사를 마치고, 짐을 찾아 세관을 떠나려는데 세관 직원이 붙잡았다. 아래 대화는 내 영어가 짧아 한국어로 남긴다.

"잠깐만요, 선생님. 이게 뭔가요?"

"아, 김치입니다."

"김치요? 와, 나 김치 좋아하는데. 제 친구가 김치 엄청 잘 담가요."

"오, 그 친구 한국인이에요?"

"아뇨, 스페인계 미국인이죠. 한인 교회에서 배웠대요. 이건 당신 엄마가 만든 건가요?"

"맞아요. 우리 엄마가 만들었어요. LA 시민들이랑 같이 먹을 거예요."

"와, 정말 멋져요. 좋은 하루 되길 빌게요."

3XL의 파란 눈 백인과 나눈 대화다. 감사합니다, 〈오징어 게임〉! 고백하건대, 그 순간 나는 BTS와 〈오징어 게임〉의 팬이 되었다. K-콘텐츠 파워가 아니었던들 이 외국인이 김치가 뭔지 알았을까.

한인 사장님들의 기분도 비슷한 것 같았다. LA 경찰관, 각국 외교관, 주요 기업인 등 LA의 중요 인사들을 불러 모아 '김장'이라는 문화 체험을 대대적으로 진행하는 건 처음이라고 했다. 한인 사장님들의 얼굴에는 기분 좋은 결연함이 서려 있었다. '무조건, 오늘을 가장 맛있고 즐거운 날로 만들겠다!' 그런 분들 옆에 있으니 나도 덩달아 의지가 생기지 않겠는가. 안 되는 영어를 손짓 발짓 섞어가며 구사해 외국인들의 김장 체험을 도왔다.

준비해 간 양념은 오리지널 한국 김장 양념이었다. 새우, 생오징어, 황석어젓을 갈아 넣은, 우리가 겨우내 한국 고객님들께 판매하는 김장 레시피 그대로였다. 젓갈은 무조건 빼라는 김치 수출 공식에는 반하는 것이었다. 한 무리 외국인들이 지나가며 시푸드 냄새가 확 난다고 얘기하는 말소리가 들렸다. 문득 걱정이 되어, 다시 한번 주최 측에 새우와 오징어 등 알러지 유발 물질이 있으니 주의해 달라고 전했다. 알맞게 익은 김치 양념 냄새가 내 코에는 참 맛있게 느껴지는데, 과연 외국인들은 어떨까. 대망의 시식 순간.

"와! 나 김치 많이 먹어봤는데, 이건 진짜 맛있다. 이게 코리안 김치야?”

LAPD 모자를 쓴 사람이 말했다. 부서장이라고 했던 것 같은데.

“이거 혹시 미국에서는 살 수 없을까요?”

대만 외교관의 사모님께서도 물어보셨다. 행사장 한편에서는 우리 양념으로 즉석에서 겉절이를 버무려 수육과 함께 나눠주는 코너가 있었는데, 벌써 매진이었다. 오징어, 새우 냄새, 아유 오케이? 베리 굿! 정도의 상황이었다. 시푸드가 풍부해서 오히려 맛있다는 대답이 돌아왔다.

생각해 보면 베트남 쌀국수도 그렇다. 베트남 쌀국수가 한국에 처음 선보였을 때 사람들은 피시소스는커녕 약간의 고수 향도 어려워했다. 하지만 익숙해지고 나니, 지금은 고수를 추가한다든지, 현지에서 잘 나가는 피시소스를 다양하게 구비하는 등 더 현지 느낌이 나는 가게들이 잘된다.

어쩌면 우리도 모르는 새, 김치 시장은 걸음마를 떼고 막 뛰어다니고 있는 건지도 몰랐다. 사람들은 이제 더 김치다운 김치를 찾는데, 한국인이 고안한 외국인 맞춤 김치만 먹느라 진짜 김치는 맛보지 못하는 걸 수도 있었다.

> 그동안 내가 '차별화된 생각'이라고 내밀었던 것들은 행여 자루를 뒤집어서 보고, 찢어서 보고 하는 유의 야단법석이 아니었을까? 짜여진 좁은 생각의 틀 안에서 이리 가보고 저리 가보고 허탕만 치느라, 정작 중요한 밀수품이 오토바이라는 사실은 눈치도 못 채고 있었던 것 아닐까?
>
> – 노진희, 『서른다섯까지는 연습이다』, 알투스(2012)

그동안 김치 수출 판로를 찾겠다고 했던 노력들이 이와 같은 자루 뒤집기 법석이 아니었을까. 가장 중요한 것을 놓치고 있었던 건 아닐까.

행사를 성공적으로 마친 다음 날, LA 시내의 그랜드센트럴마켓에서 타코를 먹으며, 이런저런 생각을 했다. 어제 행사에서 먹었던 김치 한 쪽이 참 간절했다.

여담

1년이 지난 2022년에도 우리 회사는 코리아김치페스티벌에 참여했다. 이번엔 미국뿐 아니라 두 나라가 더 늘어 3개국을 방문하게 됐는데, 베트남에 김치를 소개하러 간다고 말하니 우리 양념실의 베트남 사람 티토안이 무척 설레는 얼굴로 나에게 20만 동 지폐를 쥐여주었다.

"언니, 이거 적은 돈이지만 베트남에서 맛있는 것 드세요. 하노이 정말 좋은 곳이에요. 맛있는 것 먹고, 힘내서 김치 보여주세요."

그의 마음이 어떤 것인지 알 것 같아, 나는 그 돈을 쓰지 못하고 도로 가져왔다. 티토안에게는 좋은 쌀국수를 먹었다고 말했다.

미국 안 가길 잘했어

생산팀, 바타의 이야기

개학하고 토요일 첫 출고가 있던 날, 출고 차를 보내고 사장님과 화전을 해 먹으려 진달래를 따러 산에 다녀왔더니 바타가 마당을 서성이고 있었다.

사장님　바타야, 뭐하냐!

바타　안녕하세요, 사장님, 누나. 저 병원 가요.

나　바타, 병원 왜 가요?

바타　발바닥에 뭐 났어요. 아파서 병원 가야 돼요.

사장님　야, 니가 태워다 줘라. 바타야, 많이 아프냐.
아프면 안 되는데.

바타　괜찮아요. 버스 타면 돼요. 쪼꼼 아파요.

나　에이, 얼른 타세요.

바타 납치 성공! 바타는 운전을 배운 지 얼마 안 된 내가 못미더운 것 같다.

바타　　누나, 이제 운전 잘해요?
나　　바타, 걱정되죠. 제가 잘해볼게요.
어디가 아픈 거예요?
바타　　발바닥에 뭐가 나서 봤는데, 수술해야 된대요.
나　　수술이요?

바타가 발뒤꿈치 쪽을 보여준다. 아주 심한 티눈이다!

나　　아이고, 이거 째야겠어요.
바타　　맞아요. 오늘 이거 하러 의사 선생님이 오라고 했어요.
나　　그래도 요즘처럼 한가할 때 아픈 게 그나마 다행이네요.
바타　　맞아요, 누나.

화제를 바꿔본다. 기숙사에 새로 온 몽골 사람들에 대한 화제를 던져보았다.

나　바타, 요새 새로 온 몽골 사람들은 어때요?

바타　착한데, 한국말을 너무 못해요. 오늘도 한국어 공부하라고 책 줬어요. 내가 있으면 그래도 일 시킬 수 있어요. 내가 이렇게 하는 거 보여주고, 이대로 하라고 하면 잘해요. 그런데 저 없으면 안 돼요.

나　와~ 대단해요! 바타, 원래 선생님이었잖아요?

바타는 네팔에서 영어 선생님이었다.

바타　맞아요. 잉글리쉬, 영어 선생님이었어요.

나　와~ 영어 공부한 거 아깝지 않아요?

바타　쪼끔, 아까울 때 있어요. 네팔 대학교 졸업하고 인도 대학교까지 가서 디그리 땄거든요.

나　아, 바타 석사까지 했던 거예요?

바타　맞아요.

나　와, 그럼 논문? 페이퍼는 무슨 주제로 썼어요.

바타　셰익스피어. (멋쩍은 웃음)

나　대박! 영문과 사람들이 셰익스피어 제일 싫어한다던데!

바타 셰익스피어 「햄릿」으로 썼는데, 지금 그거 기억 하나도 안 나요. 그냥 재미있었던 기억만 나요.

나 진짜 너무 멋져요.

바타 그래서 원래 미국 가고 싶었어요. 네팔 사람들이 가장 가고 싶어 하는 나라 미국이에요. 네팔 사람들 인도에서도 일 많이 하고, 한국에서도 일 많이 하지만, 항상 일하고 싶은 나라는 미국이에요.

나 왜요?

바타 돈 많이 버니까.

나 아! 우리나라 사람들도 미국 가고 싶어 해요.

바타 아, 한국 사람들도 미국 가고 싶어 해요? 미국은 우리 네팔 사람들 입국 허가가 정말로 안 나요. 저는 아버지가 군인이어서, 입국 허가는 받을 수 있었는데 미국 갈 돈이 없었어요. 그래서 사실은 미국 갈 돈 벌려고 한국 왔던 거예요.

나 바타도 아버지가 군인이에요? 구르카 용병?

바타 맞아요. 누나 알아요?

나 네, 구르카 용병 유명하잖아요.

구르카 용병은 스위스 용병과 더불어 세계에서 가장 유명한 용병으로 알려져 있다. 영국군이 선발하는 구르카 용병은 네팔의 젊은 남자들에게 선망의 직업이다. 사진은 또 다른 외국인 친구 람이 자랑스럽게 보여준 구르카 용병 아버지가 쓰던 베레모.

바타　우리 아버지, 구르카 용병이어서 나도 하려고 했는데, 눈이 안 좋아서 떨어졌어요. 그러고 경찰 시험을 봤는데, 경찰은 면접에서 떨어졌어요.

나　아, 바타는 다른 사람한테 무섭게 하는 걸 싫어해서 떨어진 걸 거예요. 너무 착해서.

바타　(머쓱한 웃음)

나　바타는 경찰 너무 안 어울리고, 선생님이 어울려요.

바타　맞아요, 누나? 하하. 감사합니다.

나　미국에 못 간 건 아쉽지 않아요?

바타　처음에는 아쉬웠어요. 한국 와서 딱 미국 갈 돈만 벌자 했는데, 여기 왔어요. 사장님 만나고 미국 다 무슨 소용이에요. 이제 여기가 고향이에요.

나 한국 와서 처음 온 회사가 여기예요?

바타 아니요. 원래 페인트 공장에 있었어요. 그런데 일도 너무 힘들고, 화학 약품 냄새가 너무 지독했어요. 머리가 아프고, 눈도 따가웠어요. 우리 취업 비자로 직장 딱 세 번 옮길 수 있어요. 그래서 옮기는 거 신청하고 여기 파주 왔어요.

나 페인트 공장보단 나아요?

바타 (웃음) 당연하죠. 일단 맛있는 냄새 나요.

나 처음엔 김치도 먹을 줄 몰랐죠?

바타 네. 근데 이제 맛있어서, 지난번에 네팔 돌아갔을 때도 김치 생각났어요.

바타는 비자 갱신을 위해 한 차례 네팔에 돌아갔다 왔다. 우리 공장에는 이렇게 고국에 돌아갔다가 다시 우리 회사로 돌아오는 외국인 직원들이 많다. 감사하게도.

바타 아무튼 사장님 정말 대단한 분이에요. 정말 잘 대해 주셨어요. 남자들도 못 하는 거, 사장님 다

하셨어요. 한국 와서 사장님 알게 된 거 정말 행운이었어요. 사장님 같은 분 없어요.

나 와, 사장님 들으시면 정말 기뻐하시겠어요. 말씀드려도 돼요?

바타 아뇨, 누나. 말하지 마세요. 그냥 혼자 생각이에요.

나 알겠어요.

바타, 미안해요. 여기에다 쓰고 있어요.
바타는 밥을 먹을 때도, 현장에 있을 때도 언제나 사장님을 먼저 챙긴다. 그럴 때 바타의 눈빛을 보면 그의 마음이 물리적으로도 느껴진다.

나 그러고 보니 바타, 이번에 한국어 시험도 통과했죠? 축하해요!

바타 감사합니다, 누나.

바타는 우리 공장을 다니며 번 돈으로 동생들을 대학에 보내고, 삼 남매를 키우고 있다. 어린 자녀들은 중학교, 초등학교에 다닌다고 들었는데, 바타를 닮았다면 아마 착하고, 공부도 잘할 것이다. 바타는 주말마다 한국어 공부에 몰두해서,

최근 비자 갱신을 위한 한국어 시험에도 합격했다. 이 역시 우리 공장의 경사였다.

나　　바타, 이제 곧 아내분도 한국 오시죠?

바타　　맞아요, 와이프가 한국 많이 궁금해해요. 둘이 열심히 해서, 돈 많이 벌어야 돼요.

나　　둘이서 기숙사 살려면 좀 힘들지 않아요?

바타　　괜찮아요. 그런데 방을 하나 얻어도 좋을 것 같아요.

나　　기숙사 친구들은 다 어때요?

바타　　괜찮아요. 다 착하고 서로 이해하려고 해요.

이 말의 끝에 바타가 한참 생각을 하다, 덧붙였다.

바타　　저는 네팔 사람들의 좋은 모습을 많이 보여주고 싶어요. 우리를 보고 네팔 사람들을 생각할 테니까. 그래서 더 노력해요. 네팔 사람을 나쁘게 보지 않게.

나　　무슨 말인지 알 것 같아요. 저도 외국 나가면 그렇게 되더라고요. 사실 저는 네팔 사람들이 다 바타 같을 거라고 생각해요.
까르상도, 타파도, 바타도 다 성실하고 항상 마음이 따뜻해요. 그리고 우리 공장 네팔 사람들은 항상 웃는 얼굴이라 좋아요.

바타 그래요, 누나? 우리나라 사람들 항상 웃으려고 해요. 그래야 안 힘들어요.

어느덧 병원 앞에 다 도착했다.

바타 누나, 감사합니다.

나 바타, 치료 잘 받고 주말에 푹 쉬어요~! 안녕!

김치 공장어 사전

이것만 알면 당신도 김치 박사!

곤자리 총각무의 표면에 검은색 점이 생기는 등 채소에 생기는 병해. 주로 '먹었다'와 함께 쓰여 '곤자리를 먹었다'로 활용된다.

꿀통 배추의 병해 중 하나로, 배추 속잎이 까맣게 짓무르는 현상을 말한다. 얼핏 '꿀통 왔다'는 말은 달콤하게 들리지만, 배추에 꿀통이 들면 김치 공장에서는 시름이 깊어진다.

바람 무·총각무의 병해를 이르는 말. 속이 단단히 차 있지 않고 뽕뽕 구멍이 뚫리는 경우를 말한다. 보통 구멍이 뚫리거나, 하얀색 섬유질이 심하게 들어 스펀지와 같은 식감이 생긴다. '바람이 들었다'로 활용된다.

물배추 물을 많이 먹고 자라 크기가 커진 배추. 배추의 갓이 두꺼운데, 수분 함량이 많아 배춧잎은 별맛이 없다.

먹　배추의 하얀 줄기에 먹물이 든 것 같은 그림자가 생기는 것. 마치 옅은 검은 멍이 든 것처럼 보인다. 먹이 든 부분은 쉽게 무른다.

깨씨무늬　배추에 생기는 검정깨 같은 무늬들. 보이는 것과는 다르게 병해가 아니라서 섭취에는 이상이 없다. 토질에 칼륨이 부족한 여름철에 주로 나타난다. 미관상 좋지 않아 여름철 김치 클레임 원인 1순위. (배추도 레이저 미백 치료가 된다면 좋겠다.)

미치다　김치의 맛을 표현하는 말. 주로 제조한 지 4~5일 이상, 14일 미만 된 김치가 익은 것도, 안 익은 것도 아닌 상태일 때 나는 이상한 맛을 이른다.

여사님　현장 인원 중 주로 여자 작업자들을 이르는 말. 남자 작업자들은 주로 '아저씨'로 불리운다.

매진　일반적인 생각과 달리, 매진을 치는 상황은 그다지 긍정적이지 않다. 제품을 많이 만들어낼 능력을 갖추어, 매진을 안 치고 많이 파는 게 훨씬 이득이기 때문이다. 한 MD님의 좌우명은 '내 사전엔 미출도 매진도 없다'이다.

미출　그날의 출고 지시 수량을 달성하지 못해 고객과 약속한 기한을 어기게 된 상황. 벌어지면 안 되는 무서운 일 중 하나다.

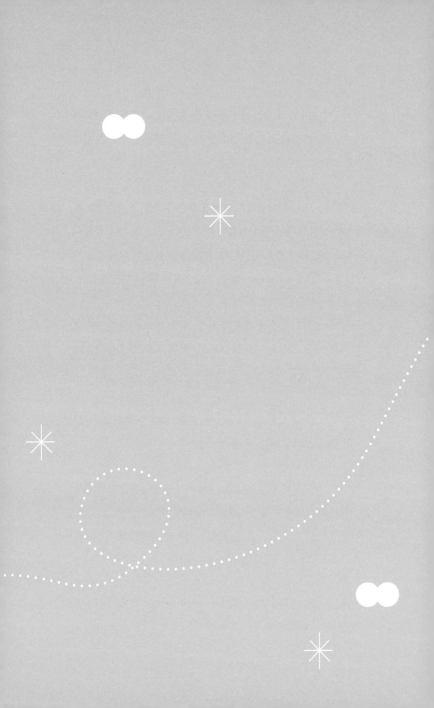

3장. 노동요 한 곡조 뽑으며

포드의 김치

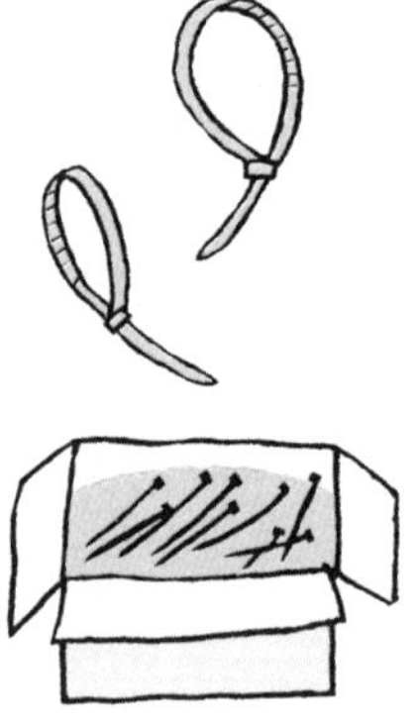

"그 사람들이야 뭐, 어차피 다 로봇으로 대체될 겁니다"

– 테일러 피어슨, 『직업의 종말』 중에서

우버의 어느 이사가 했다는 말, 부키(2017, 방영호 옮김)

다른 공장을 견학하는 일은 참 즐겁다. 작은 곳은 작은 대로, 큰 곳은 큰 대로 놀랍다. 최근에 가본 곳은 우리나라에서 손꼽히는 규모의 식품 공장이었다. 그곳의 생산 현장에는 '낭비를 줄이자'는 표어가 아주 크게 걸려 있었다. 와, 낭비를 줄이자는 말을 이렇게 대놓고 쓰다니!

작은 회사가 낭비를 줄이자고 하면, 민망한 기분이 든다. 본인이 쏘기로 한 회식 자리에서 짜장면이나 아메리카노를 시키는 팀장 같다. 하지만 큰 회사가 낭비를 줄이자니 철저한 로스 관리처럼 들린다. 부자들은 허튼돈을 안 쓴다더니, 그 말이 맞구나. 고개를 주억거리는 내게 그곳의 사장님이 말씀하셨다.

"사람이 너무 많죠?"

"아니, 공장이 텅텅 비었구만, 이게 뭐가 많아요."

우리 사장님이 대답하셨다. 나는 우리 사장님 편이었다. 그 공장은 인구 밀도가 우리 공장의 반의 반의 반도 안 됐다. 넓은 공간에 사람 실루엣이라고는 세 명이 보일까 말까 했다. 우리 공장이었다면, 열두 명씩 두 줄로 스물네 명이 들어서고도 남았을 거다.

코로나를 겪으면서 확실해진 사실. 제조업에서 가장 큰 변수는 사람이다. 사람이 멈추면, 생산이 멈춘다. 문제는 갈수록 생산직을 하겠다는 사람도, 돈 조금 더 받자고 힘든 일 하고 싶은 사람도 없다는 것이다. 그래서 풀무원이나 오뚜기, 대상 같은 큰 기업들의 생산 라인은 자동화가 잘되어 있다. 제품도 자동화에 적합한 것들을 생산한다. 예를 들면 사람의 손이 필요한 포기김치보다는 썰어서 버무리는 맛김치를 생산하는 식이다. AI가 보급될수록 사람들은 장인이 되어야 하지 않을까. AI가 할 수 없는 것들을 해내야 할 테니까. 그런 면에서 포기김치는 서기 2064년쯤 되면 큰 사치품이 될 것이다. 로봇의 손으로는 배춧잎 사이사이에 양념소를 넣는 게 아무래도 어려울 테니까.

아이러니하게도 판사와 약사 같은 고학력, 전문직 직장보다 김치 공장의 일자리가 AI로 대체되기 더 어려울 것 같다. 고양이와 강아지 구분을 힘겨워하는 AI가 좋은 배추를 골라낼 수 있을까. 정상적인 배추의 깨씨무늬와 병든 배추의 검은 줄무늬를 구분할 수 있을까. 그것을 구분한들 로봇 팔이 배추의 여린 겉잎들을 떼어내, 그 속에 야무지게 양념을 넣으면서 이물을 골라낼 수 있을까. 로봇의 손끝에서 계절에 따라, 원물에 따라 양념을 조절하는 '손맛'이 날 수 있을까. 아무리 세월이 흘러도 김치 공장에서만은, 인간의 역할이 기껏해야 로봇의 관절들을 닦고 조여주는 일에 머무르지 않을 것 같다. 온 세상이 4차 산업으로 변해가도 먹거리 산업만은 꿋꿋이 인간의 손끝에서 꽃을 피울 것이라고 나는 믿는다.

그러나 공장의 모든 공정은 사실 상당히 기계적으로 이루어진다. 포드가 말하지 않았던가. 일은 쪼개라고. 우리 공장에 알파고가 들어올 자리는 없지만 공정은 아주 잘게 쪼개져 있다. 예를 들어 열무김치의 포장은 이렇게 쪼개진다.

①비닐을 이중으로 끼우기
②이중 비닐을 계량통에 끼우기
③열무김치를 퍼넣기
④계량하여 부족·과잉분 넣고 빼기
⑤계량된 열무김치 봉투를 빼 올리기
⑥타이로 묶기
⑦스티커 붙이고 피박스에 담기
⑧팔레트를 출고장으로 내보내기

각각의 업무를 모두 다른 사람들이 맡아서 한다. 이렇게 최소 인원 여덟 명이 준비되면 시간당 800여 개의 현기증 나는 속도로 열무김치가 포장되어 나온다.

사장님이 처음 공정을 자리 잡게 할 때도 가장 신경 쓴 부분은 업무를 쪼개고, 그 패턴을 유지시키는 일이었다. 공장이 처음인 사장님이 처음 현장에 들어왔을 때는 떠밀리듯이 김치를 담갔다고 했다. 그러다 보니 현장도 어수선하고, 하루 종일 분주한데 생산량은 얼마 되지를 않고…. 그래서 하루는 아침에 사람을 배치해 두고 그날 내내 아무도 그 자리를 못 벗어나게 했다고 한다. 로봇과 마찬가지로 말이다.

“사장님, 제발 나 저기 가서 칼만 좀 갈고 오게 해주세요.”

“안 돼요! 여사님은 여기 그냥 서 있어. 내가 갈아다 줄게.”

이렇게까지 해서 보름을 고정시키고 나서야 공정이 안정되었다고.

단순 반복. 세상 사람들은 종종 이 단어의 힘을 무시한다. 하지만 단순 반복은 사람들의 근육을 3대 500으로 멋지게 부풀리는 것뿐 아니라, 온갖 복잡다단한 일들을 손쉽게 할 수 있도록 도와준다. 그래서 공장의 업무들은 얼마나 더 쪼갤 수 있는지, 어디까지 쪼갤 수 있는지로 성패가 결정된다.

김치 봉투를 묶는 노란 케이블 타이만 해도 그렇다. 케이블 타이는 사무실에서 미리 고리로 만들어두는데, 이 작업을 생산 라인에서 가장 처음 분리해 낸 사람은 조 이사님이다. 메인 생산팀이 굳이 타이 고리 작업까지 할 필요는 없다고 생각한 것이다. 대신 본인이 항상 고리를 만드신다. 그래서 조 이사님의 곁에 가면 항상 ‘드르륵 탁’ 하고 고리 끼우는 소리가 배경음악처럼 들린다. 그 덕분에 생산 인력은 고리 끼울 걱정 없이 김치만 담글 수 있다. 포드에 빙의된 조 이사님이 이뤄낸 빛나는 성취다.

공장에서 김치를 누가 담그느냐, 하면 나는 말할 것이다. 알파고는 모르겠고, 포드가 가끔 와서 담급니다.

무가 많아서 웃었다

공장에서는 모두 자기가 맡은 일이 제일 중요하다. 예를 들어 포기 여사님들은 양념을 빨리 받는 게 제일 중요하다. 양념을 만드는 바타는 무채가 제일 중요하다. 무를 채 치는 머기는 무가 제일로 중요하고, 총각김치나 열무김치를 버무리는 명수 반장에겐 혼합기에 넣을 스테인리스 통이 제일 중요하다. 다들 왜 생산이 늦어지냐고 물어보면 대답이 다 다르다.

"무 없어요!"
"양념 없어!"
"통이 없는데 어떻게 해요!"

모두 자기에게 무엇을 주지 않아 늦었다고 말한다.

어느 회사나 비슷하지 싶다. 광고회사에 다닐 때는 대체로 이랬다. 어느 PT에서 A라는 대행사가 진 뒤 패배 보고서를 쓴다. 고상한 단어들로 포장을 하지만 읽어보면 이런 내용이다.

제작팀

기획이 광고주 의도를 잘못 파악함. 스케줄도 못 챙김.

기획팀

제작이 트렌드에 떨어지는 크리에이티브를 냄. 촌스러움.

전략팀

우리 전략을 기획도, 제작도 제대로 이해하지 못함.

프로젝트의 실패를 온전히 우리 부서의 잘못으로 돌릴 수 있는 간 큰 회사원이 몇이나 될까. 게다가 어느 잘못의 원인을 명명백백한 무엇이다, 라고 단정할 수 있을 만큼 현실 세계는 선명하지 않다.

잘될 때도 마찬가지다. 기획이 잘했고, 전략이 좋았고, 크리가 좋았고, 그걸 살 만큼 광고주의 안목이 좋았고, 타이밍이 좋았다. 모든 게 좋아서 한 캠페인이 잘된다. 99가지 상황이 안 좋은데 한 가지 뾰족한 수가 있어서 잘되는 임진왜란 이순신 장군 같은 캠페인은 세상에 없다.

그런데 공상에서의 성취는 뭔가가 좀 다른 것 같다. 나는 그것을 맑게 웃는 머기의 얼굴에서 깨달았다.

어느 오후, 양념실에서 무 세척실로 가는데, 머기가 생글생글 웃으며 지나갔다. 항상 찌푸린 얼굴로 반밖에 안 든 무통을 싣고 다니는 그가 어쩐 일로 함박웃음을 지으며 지나가기에 사장님이 물었다.

"야, 너 왜 웃고 다니냐."

"무 많아. 무가 많아."

그날은 햇무가 들어온 날이었다. 포기김치 40톤을 만드느라 매일 같이 무채 독촉을 받는 머기가, 지하수 뚫리듯 막힘없이 무가 쏟아지자 신나게 무를 채 치며 웃었다. 그 해사한 얼굴을 보며 문득 묻게 되었다.

우리는 왜 일을 하다가도 웃지?

퇴사 에세이와 열심히 살지 않겠다는 선언들이 베스트셀러의 반을 차지하는 요즘 세상에서 일터에서의 긍정 에너지는 인스타그램 속 친구의 얼굴 같다. 친구의 가장 이상적인 모습만을 골라둔, 익숙하지만 낯선 얼굴. 아는 얼굴인데, 안다고 말하기 민망한. 누군가 본인의 업무를 긍정하면서 산뜻

한 에너지를 발산하면 말문이 막힌다. '야, 거짓말하지 마. 제대로 일하는 거 맞아?'라고 되묻고 싶어진다. 누가 일을 즐기면서 한단 말인가.

머기가 무채를 더 빨리 썬들 그에겐 인센티브가 없다. 오늘의 무채왕이라고 누가 알아줄 것도 아니다. 머기의 웃음은 누군가의 인정과는 상관없는 일이었다. 다만, 머기의 일은 전적으로 머기에게 달려 있었다. 머기가 서두르면 무채

가 빨리 나올 것이고 그가 늦으면 늦어질 것이다. 머기의 저 웃음은 다른 변수가 하나도 없는, 제 생산성에 대한 오롯한 기쁨 아니었을까.

일도 기쁨을 준다.

일이 주는 기쁨은 맛있는 케이크나 사랑하는 사람, 좋은 노래가 주는 것과는 다르다. 못하던 배영을 마침내 해내게 되었을 때나, 모르던 외국어를 마침내 읽게 됐을 때의 기쁨과 비슷하다. 일의 기쁨은 내가 몸소 싸워 나 자신에게 주는 기쁨이다. 무채를 써는 일이든, 책을 쓰거나 광고를 만드는 일이든, 회사가 시켜서 한 일이든, 그 기쁨만큼은 내가 이뤄낸 온전한 나의 것이니까.

일이 잘 풀린 날엔 어쩐지 뱃속이 다 시원하다. 머기만큼 웃어본 적은 없었어도 퇴근길이 가벼웠던 어느 날들, 그리고 제대로 웃을 줄도 몰랐던 나의 빈 무 통 같은 9년을 떠올리며 무가 많아 웃는 머기에게, 그날은 감히 쌍따봉을 날렸다.

광고의 효과

광고회사의 제작팀에서 일하는 동안, 우리 팀이 만든 광고의 성적표를 받아본 적은 없다. 우리 팀이 만든 영상의 조회 수가 덜 나오면 아쉽기야 했다. 하지만 잘된 광고 하나가 실제 매출에 얼마나 큰 영향을 줄 수 있는지 체감할 기회가 없었다. 어쨌거나 내 주머니에서 낸 돈으로 광고를 집행해 본 적은 한 번도 없지 않은가. 그래서 나는 내 광고의 적나라한 성적표를 공장에 오고 나서야 받을 수 있었다.

어느 점심, 사장님이 대뜸 30분 뒤에 신문사에서 손님이 올 거라고 했다. 여러 해 전에 만났던 영업 과장님인데 그분과 인쇄 광고를 하고 싶다는 것이었다. 사장님이 인쇄 광고를 언급한 그 순간, 내 머릿속에 떠오른 헤드 카피가 하나 있었다.

"아, 왜 사장님은 전화를 안 받아."

우리 사장님은 전화가 안 되기로 유명하다. 아빠가 현장에 있는 엄마와 수차례 통화 시도를 했지만, 번번이 전화가 되지 않자 머리끝까지 화가 나서 집을 나간 적도 있다. 하지만 어쩔 수 없다. 현장에 들어가면 정말로 전화 한 통 받기가 그렇게 힘들다. 앞치마에 묻은 양념을 씻고, 장갑을 두 번 벗고,

위생복 주머니에서 전화기를 꺼내는 게 김치를 담그는 일보다 더 힘들다. 나는 실로폰 버전의 '오버 더 호라이즌'이 정말 듣기 싫은데, 사장님의 전화 벨소리이기 때문이다. 사장님의 핸드폰은 정말 징그럽게도 자주 울리고, 사장님은 정말 징그럽게도 전화를 못 받는다.

그래서 많은 사람이 오해한다. 저 여자가 곤란하니까 전화를 안 받는다고. 하지만 틀렸다. '못' 받는 게 맞다. 사장님은 일이 끝나면 밤 10시든, 11시든, 12시든 콜백을 한다. 시간이 늦었으니 모두에게 전화를 돌릴 수야 없지만서도. 나는 이 사정을 저 멋진 지면을 통해 한번 밝히고 싶었던 것이다.

그리하여 나간 광고는, 한 블로그에서 좋은 광고라며 리뷰를 해주기도 했다. 사장님은 이 말을 듣고, 네 친구 아니냐고 핀잔이나 주었을 뿐이다. 판매량은? 사장님의 반응이 이해될 정도로 매출 그래프는 조금의 진동도 없었다. 그 후로도 세 번 정도 더 광고가 나갔지만 게재된 날에 평소보다 전화가 조금 더 오는 수준에 그쳤을 뿐, 광고 효과는 폭발적이지 않았다. 나의 결론은 이랬다.

과연, 지면 광고는 역시 한물갔구나.

완전히 틀린 분석이었다. 5주차 광고가 나간 어느 월요일이었다. 현장에서 사무실로 올라오는데 대뜸, CS 대리님이 오늘 전화 받느라 다른 일을 하나도 못했다는 것이다. 큰 클레임 건이라도 있었던 것인가, 긴장된 마음으로 물어보니 뜻밖의 대답이 돌아왔다. 광고 때문이었다!

광고를 본 사람들에게서 전화가 물밀듯 쏟아져, 오전 중 전화 주문만 벌써 100건이 넘었다는 것이다. 입꼬리가 슬며시 올라갔다. '내가 생각해도 그 카피는 괜찮았지.' 예전에 홈쇼핑 방송에 따라갔을 때, 쇼호스트분의 친어머님께서 하셨다는 말씀으로 쓴 카피였다. 아, 한물간 것은 신문이 아니라 나의 카피였구나!

"얘, 난 4만 원으로 이거 다 못 만든다."

이것이 그날의 카피였다. 당시 우리는 배추김치, 총각김치, 열무김치에 물김치까지 네 가지 제품을 4만 900원에 판매하고 있었다. 이걸 광고 안 할 이유가 없지 않은가. 내 귀에 걸리는 말은, 다른 사람의 귀에도 걸리기 마련이다.

얘, 나는
4만원으로
이거 다 못만든다
4종 김치 총 11kg 구성이
40,900원
도미솔식품

나는 이 사건 이후로 원래도 자신 없던 내 카피에 더 많은 반성을 하게 되었다. 나는 9년간 회사에서 어떤 카피를 써왔던가. 과연 몇 명의 소비자가 우리 팀이 만든 광고를 보고 "광고에서 본 그 제품 주세요"라고 말했을까. 우리 팀에서 만든 광고로 말미암아, 광고주의 전화가 먹통이 된 적은 과연 있었을까. 왜 나는 그동안 숫자와 매출 압박에선 이렇게

멀어져 있었을까. 이전 회사 분들에겐 노땡큐일 게 분명한 집단적 반성까지 해가면서 나는 이제 SNS 광고의 세계로 발을 들이밀었다. 인쇄 광고가 그냥 커피라면, 여기는… 아, 분량이 길어지니 여기까지만 하자.

아무튼, '4만 원' 광고는 반년이 지난 지금도 연락이 온다. "내가 예전에 신문 광고를 봤어, 4만 원에 못 만든다고. 나 그거 하나 줘." 그리고 그 광고가 나간 날, 사무실 직원들은 제발 광고가 나가면 미리 알려달라고 부탁했지만, 그 후로 그렇게까지 파워 있는 광고는… 아직까지 게재된 바 없다.

비디오 가게 이론

나는 가끔 우리 공장에 '나' 이전과 이후가 나뉠까 생각한다. 샤워를 하면서 할 만한 생각은 아니지만, 출근 준비를 하면서 물을 맞다 보면 정신이 번쩍 든다. 오늘은 뭘 해야 할까. 퇴근 후 뜨거운 탕 속에서도 생각한다. 나는 오늘 무엇을 했나.

인사관리Human Resource의 핵심은 한 사람이 조직에 새로 등장함으로서 어떤 변화를 일으킬 수 있는가, 아닐까. 그런 점에서 나라는 인사는 참담한 HR의 결과임에 틀림없다. 우리 공장은 나 이전과 이후가 다르지 않으니까.

나를 스카우트한 장본인, 나의 사장님이자 나의 어머니 박 대표는 지금 어떤 생각을 하고 있을까. 마침 엄마의 메모지 뒤에 '원재' 하고 시작된 글이 있었다. 다음 줄은 '원재를 생각하면'이었는데 그 뒤로 텅 빈 종이가 펼쳐졌다.

"엄마, 뭐 쓰려고 한 건데?"

"너에 대해 뭔가 쓰고 싶었는데, 갑자기 안 쓰고 싶어졌어. 너를 생각하니까 아무 영감이 없어."

이런…. 나의 매일은 컨베이어 벨트 위 포기김치처럼 간신히 실려 가는 수준이기는 하다. 부사장님의 위엄을 보여달라는 말도 듣고, 빨리 생산을 배워야 한다는 말도 듣고, 회사 밖을 좀 나와보라는 말도 듣지만, 슬프게도 당신이 와서 뭐가 달라졌고 뭐가 편해졌다는 얘기는 아직까지 들어본 바 없다.

광고회사를 다니다가 김치 공장으로 오니, 지인들은 멋진 김치들을 보면 자꾸 나에게 보내준다. 서울 시스터즈의 '김치 시즈닝', 더키트가 만든 캔 김치 '피키위키', 강화도 순무 김치 브랜드 '핑크김치' 같은 것들. 고마운 가운데, 초조해지는 나를 발견한다. 아, 난 뭐 했지. 이런 것 하나 못 만들고.

음, 심지어 예전 회사 다닐 때보다 통장에 잔고도 얼마 없다. 우리 김치의 로고를 바꿔보려고 돈을 썼고, 스티커나 마스킹 테이프 같은 굿즈도 만들고, 새로운 제품을 만드는 데에도 내 돈을 썼다. 네이버 광고에도 사비를 태웠고, 퇴직금은 유튜브 영상을 만드는 데 다 썼다. 그러나 어디 인터뷰할 만한 결과물은 없다.

난 김치 공장 와서 이룬 것이 하나도 없어. 광고대행사 출신인데도 멋진 브랜딩 하나 못 했고. 신제품도 제대로 런칭한 게 없어. 나도 김치 시즈닝이나 캔 김치 같은 새로운 발상을 해야 했던 건 아닐까. 생산도 깔짝거리기만 하고 아무것도 이룬 게 없어. 멋진 브랜드 보면서 혼자 초조하기만 해. 친구에게 이런 고민을 털어놓자, 친구는 진짜 선물 같은 링크를 하나 보냈다. 제목은 '명인 이름은 촌스러워야 신뢰가 간다'.

"언니, 나는 그런 제품들은 10년 뒤에도 있을지 잘 모르겠는데, 언니네 김치는 10년 지나도, 20년 지나도 있을 것 같아."

갑자기 숨통이 확 트이는 기분이었다. 친구는 한마디를 덧붙였다.

"그리고 이런 관점에서, 언니 어머님 이름보다도 언니 이름이 명인에 더 가깝다■."

■ 내 이름이 김원재고, 엄마 이름이 박미희니 내 이름에서 좀 더 김치니스 Kimchiness가 느껴지지 않는가!

김동곤 병인 누군지는 모르는데
김동곤 명인이 만든 쌍계차 세트
이러면 엄마 사주고 싶음

12:00
장춘동 계춘화의 민물 장어 코스
12:02
ㄹㅇ
김덕수 사물놀이 - 와 사물놀이에 인생을 다 바친 분이겠지
김하율 사물놀이 - 뭐지?

ㄴ 12:04
김하율 ㅋㅋㅋㅋㅋㅋㅋㅋㅋ

출처: 더쿠 theqoo

하, 정말. 링크 하나로 다 죽어가던 사람의 기분을 살려놓았으니 정말 대단한 친구 아닌가.

문득 광고회사를 다니면서 내내 외우려고 했던 이론을 떠올렸다. 그게 뭐냐면, 내가 고안한 '비디오 가게 이론'이다. 당시에 나는 '왜 나는 재미가 없는가'에 대해 많이 생각했다. 광고회사엔 '재미있는 사람'들이 정말 많다. 별말을 안 해도 웃기고, 말이 길면 시종 웃기다. 문제는 혼자 드리블을 해서

골대까지 달려갈 줄 알았던 그들이 갑자기 나에게 패스했을 때다. 나는 받은 공을 슛으로 쏘지 못하고 주춤거렸는데, 옆자리의 친구는 멋지게 공을 받아 시원한 발리슛을 때렸다. 그럴 때마다 생각했다.

영화 〈포레스트 검프〉와 〈내부자들〉, 교양 프로그램인 〈그것이 알고싶다〉는 모두 재미있다. 하지만 재미있는 이유는 모두 다르다. 슬프고, 재치 있고, 날카롭다. 웃기는 재미가 있으면 슬픈 재미가 있고, 가벼운 재미가 있으면 또 딱딱한 재미가 있다. 재미의 기준이 단 하나라면, 내가 거기에 맞지 않을 때 비참해지겠지만, 다행히 재미의 기준은 여러 가지다. 내게는 내 식대로의 재미가 있지 않을까.

그러니까 나는 비디오 가게의 비디오테이프 중 하나다. 어떤 사람들은 내가 절대 보지 않는 호러 무비만 골라 본다. 알고 보면 내가 바로 그 호러 무비나 슬래시 무비인 것이다. 시트콤이나 로맨틱 코미디 장르의 비디오들이 숱하게 대여되는 동안 슬래시 무비 비디오에는 먼지가 조금 쌓이겠지만 그게 재미없다는 의미는 아니다. 나 스스로를 가치 없게 여기지는 않겠다. 분명 나만 좋아하고, 또 나에게 중독될 사람들이 있을 테니까. 그러니 모두가 웃다가 쓰러지는 시트콤을

보며 부러워하지 말자, 장르가 다른걸.

이번에도 마찬가지다. 지금 내가 만드는 김치는 말하자면 대하 사극인 것이다. 퓨전 판타지 사극이 아니다. 시청률이 아무리 잘 나와도 대하 사극에서 갑자기 찐한 키스를 날리거나, 장풍을 쏠 수는 없다. 다른 장르를 보며 초조해하는 건 별 도움이 되지 않는다.

그러니 일단은, 지켜봐야지. 17년 차 회사를 냅다 바꾸려 들기에 1년 차 부사장은 너무 뱁새다. 지금은 황새 따라갈 생각 말고, 우리 공장 곳곳에 있는 황새 등에 어떻게 잘 올라타 볼 생각이나 해야겠다.

빈터뷰

아무도 모르는 기분

생산팀, 최 팀장님 이야기

새로운 길을 시도하는 편인가? 심리 테스트에서 이 질문을 만날 때면 망설인다. 그럴 때도 있고, 아닐 때도 있는데 어떡하지? 한편 생산팀 최 팀장님은 이 질문에 무조건 예스로 답할 것 같다. 최 팀장님은 우리 공장에서 출퇴근 루트를 가장 다양하게 가진 분이기 때문이다. 그 사실을 최 팀장님의 차를 얻어 타고 다니면서 알게 되었다. 처음 공장에 왔을 때 나는 장롱면허였기 때문에 저녁 6시에 끝나든, 자정이 넘었든, 최 팀장님이 집까지 데려다주셨다. 우리 집이 분명 댁에 가는 길이라고 하셨는데….

"에에? 아니요? 최 팀장님 집, ○○ 마을이잖아요, 3단지."

최 팀장님의 진짜 주소지를 알게 되었을 땐 온몸에서 진땀이 났다. 우리 집은 팀장님 댁을 하아아아안참 지나쳐야 나왔다. 팀장님은 그동안 사장 딸에게 집이 멀다 불평은커녕, 치킨이나 햄버거, 라볶이 사 가는 길이라며 슬쩍 거짓말까지 더하셨다. 나는 부끄러움 속에 바로 운전 연수를 알아봤고, 이제는 당당하게 자차 출퇴근을 한다.

그렇게 자력 출퇴근을 하고 난 이후, 처음으로 반장님들을 모시고 퇴근한 다음 날의 대화다.

나 팀장님, 반장님들이 강 팀장님 길은 느리고 최 팀장님 길로 가야 빠르대요. 어제 강 팀장님 길로 모셨더니 아주 불만들이, 어휴.

최팀 아, 그쪽 길은 시속 100 이상으로 광탄사거리까지 계속 쏴야 이쪽 길보다 빨라요.

나 저는 아직 초보라서 그렇게 쭉 달릴 수가 없는데!

최팀 에이, 벌써부터 과속하고 다니면 안 되죠.

나 사실 제가 출퇴근하면서 팀장님 하는 대로 계산해 보려고 했거든요? 근데 이거 타고 나야 하는 건가 봐요. 전 도무지 못하겠어요.

최팀 뭐를?

나 그거 있잖아요, 아침에 몇 시 몇 분에 집에서 나와야 첫 번째 신호를 파란불로 지나가고, 그다음 신호에 몇 분 만에 도착해야 안 서고 지나갈 수 있는지.

최팀 아~ 그거. 또 새로운 거 알려줄까? 파주역 쪽으로 출근하는 길, 거기 언덕 내려와서 60킬로미터 단속 카메라 있잖애. 그거 파란불로 통과하고 다시 두 번째 신호에 50킬로미터 카메라 있잖애? 그 사이를 50킬로미터로 맞춰서 가면 무조건 카메라 앞에선 빨간불 걸린다?

나 헐! 그래서 제가 맨날 그 신호에 걸려요.

최팀 거기는 첫 번째 카메라 통과한 후에 속도 올려서 끝까지 달린 담에, 마지막에 감속해야 안 서고 지나가요. 더 정확한 게 있는데 뭔지 알아요?

나 뭔데요?

최팀 60킬로미터 카메라 통과할 때, 백미러로 방금 지나온 신호등이 빨간불이 되잖애? 그러면 두 번째 카메라는 무조건 파란불로 지나가.

무언가를 타고난다는 것은 뇌 구조나 신체 기능성이 이미 어떤 일에 최적화된 상태를 말하는 것 아닐까. 그런 면에서 최 팀장님은 프로젝트 매니징의 두뇌를 타고났다. 나는 아무리 7시 17분에 나왔을 때, 28분에 나왔을 때 신호등 순서를 기억해 보려고 해도 머리가 먹통인데, 팀장님은 신호등 순서는 물론이요, 절임 통이 얼마나 비워졌는지, 팔레트가 몇 개가 나왔는지를 보고 오늘의 생산량 예측을 척척 해낸다.

최팀 근데, 부삼▪. 사장님께 현장 사람들 적게 왔다는 얘기하지 마셔.

나 왜요? 사장님한테 말씀드려서 현장에 사람을 더 받으면 좋은 거 아니에요? 사람이 많아야 일이 빨리 끝나잖아요.

최팀 그래도 내가 사장님 밑에서 5, 6년을 배웠잖애. 그냥 사람이 많다고 일이 다 되는 건 아니더라고요. 사람이 생각보다 적게 왔어도, 내 나름대로 머리를 잘 써서 잘 해결한 모습을

▪ 최 팀장님은 '부사장님'을 가장 덜 민망하게 발음하는 분으로, 부사장님을 몹시 빨리 발음하기에 표기는 '부삼'에 가깝게 들린다.

보여드리고 싶은 거지. 무슨 말인지 알죠? 무작정 사장님께 걱정 끼치고, 사장님이 나서서 사람을 더 받아 오는 것보다, 이런저런 문제가 있었지만 이렇게 저렇게 해서 잘된 모습을 보여드리고 싶은 그런 거.

오잉, 모르겠는데요? 무조건 반사로 튀어 나가려는 대답을 누르고 나는 잠시 얼떨떨했다. 나는 주어진 조건이 좋지 않으면, 그 조건을 바꾸는 데 많은 시간을 쓰는 사람이었다. 사람이 부족하면 사람을 더 받고, 예산이 부족하면 더 늘려야 하고, 그게 안 되면 일도 안 되는 게 당연하지 않나? 그런데 팀장님은 주어진 환경을 받아들였다. 팀장님이 업무를 대하는 태도는 그가 출퇴근을 하는 방식과 비슷했다. 불변의 신호등들 사이에서 최적의 효과를 내는 것. 어쩌면 그동안 내가 스트레스를 받았던 건 바꿀 수 없는 신호등 순서를 바꾸려고 해서지 않았을까. 순간 멍해졌다.

최팀 요즘처럼 주문 막 들어올 때, 내가 이 숫자 늘어나는 거 보는 게 얼마나 무서운지는 정말 아무도 모를 거야.

지난가을 배추 파동으로 눈 감았다 뜨면 주문이 300건씩 쌓이고, 방송을 틀면 동시에 천 콜 가까이 떴을 때였다. 최 팀장님은 출고 지시 숫자를 보는 게 무섭다고 했다. 제품이 나오느냐 못 나오느냐는 오로지 생산팀에 달린, 생산팀만이 해결할 수 있는, 생산팀의 역량이기 때문이다. 공장에서는 많이 파는 것만큼 제품이 늦지 않게 제때 내보내는 것도 중요하다. 얼핏 당연한 말 같지만, 홈쇼핑에서 매진을 치면 따라붙는 것은 '미출'에 대한 책임이다. 만 개, 만 오천 개, 김치를 신나서 팔아도 약속한 기한에 제품이 나가지 못하면 오히려 죄인이 된다.

최팀 해가 갈수록, 사장님이 왜 화를 내시는지 이해하게 돼요. 예전에 안 보이던 게 보이고. 나는 원래 핸드폰 칩 만드는 회사 다녔잖애. 거기서도 생산 주임이었고. 원래 다니던 회사에서는 어싸인assign이라고, 누구한테 어떤 업무를 줘서 생산력을 최대로 끌어올릴지, 그게 젤 중요했거든요. 김치 공장은 처음이라 혼나기도 많이 혼났지만, 사장님이 라인을 제대로 세워놓으면 김치는 알아서 나온다고 하시잖애.

그게 결국 어싸인이었구나 싶어요.

생산이 생산을 한다. 이 평범한 말 뒤에 숨은 노고를 안다. 공장장님이나 최 팀장님은 항상 새벽같이 공장에 나와 공장의 전 공정이 마무리될 때까지 자리를 지키고, 주말도 없이 일할 때가 많다. 일하기 싫은 게 사람의 당연한 본능인데, 수많은 사람에게 일을 시키는 역할이니 사람에게 받는 스트레스도 어마어마하다. 그래서 어느 날 사장님은, 최 팀장을 보고 있으면 가끔 눈물이 난다고 말한 적도 있다. 저 순한 애가 저렇게 고함을 지를 땐 오죽이 답답하면 그럴까 한다고. 물론 최 팀장님의 의견도 들어봐야 아는 이야기지만. 생산의 노고는 모두가 알아주고 또 알아주려 해도, 부족한 것만 같다. 만고 내 생각이다.

최팀 부삼도 너무 초조해하지 마셔. 그냥 뒤에서 한번 봐봐요. 아무것도 하지 말고 사람들이 어떻게 하나. 그러면 누구는 일을 더 하고, 누구는 일을 덜 해. 그래서 라인에 사람을 어떻게 세워놓느냐에 따라 제품 나오는 속도가 완전 달라요. 저 같은 경우에는 아침에 세팅할 때랑 양념 바뀔 때, 예전 회사에서는 그걸 체인지change라고 했는데, 그때를 젤 중요하게 봐요. 이때가 다 로스loss거든. 꼭 양념 버리는 것만 로스가 아니라, 양념 바뀔 때 사람들 멍하니 서 있는 거, 그 사람들 서 있으면 뭐 해요. 그게 다 로스잖애.

나 와, 전 그런 계산 못할 것 같은데.

최팀 아냐, 다 할 수 있어. 나도 몰랐어.

팀장님이 말을 잠시 멈추었다가 덧붙였다.

최팀 근데, 이건 있다? 오늘 예측 생산량은 내가 혼자 계산하는 거잖애. 이거는 진짜 아무도 모르는 기분일 텐데, 마지막 배추 포기를 끝냈을 때 라벨도 똑같이 동나는 거. 오늘 받은 라벨이 끝날 때, 김치 통도 깨끗하게 비워지는 거. 그때 그 기분을 뭐라고 해야 하지?

나 뿌듯함?

최팀 맞아, 맞아, 뿌듯함. 이런 순간이 엄청 자주 있는 건 아니지만 내가 짠 계획이 완벽하게 맞아떨어졌을 때, 그 쾌감이 있어요. 예전에 후임 있었을 땐, "야,

봤냐?" 이랬거든? 근데 요샌 혼자 좋아하지, 뭐.

나 전 아마 소름 돋았을 거예요. 그렇게 딱 맞으면.

최팀 걱정 마. 나중에 부삼도 알게 될 거예요.

〈키리시마가 동아리 활동 그만둔대〉라는 영화를 보면 이런 대사가 나온다. 쓰레기 같은 소품으로 좋게 봐줘도 삼류밖에 안 되는 영화를 만드는 영화부 부원에게 히로키라는 남자애가 묻는다. 아카데미를 받을 것도, 유명 여배우랑 결혼할 것도 아닌데 그런 영화는 왜 만드냐고. 그러자 영화부 부원이 답한다.

"음, 뭔가 가끔, 가끔이지만 말야. 내가 지금 하고 있는 일이랑 내가 좋아하는 게 연결되어 있다는 기분이 들어서, 그런 게, 그냥 좋아서 말야…."

보잘것없는 우리의 일이 우리를 빛나게 하는 순간이 있다.

루비의 애플쿠키

“성공의 비결이요? 그냥 닥치는 대로 했던 것 같아요. 새벽 6시면 시장 나가서 재료 사고, 자정까지 주방 정리하고….”

정말로 그럴 줄 알았다. 성공한 사장님들은 항상 그렇게 말하지 않던가. 닥치니까, 절박하니까 하게 됐다고. 만화 속 주인공들이 시련 앞에 저도 몰랐던 초인적인 의지력을 발휘하듯이 나도 공장이라는 최전방에 던져지면 전에 없던 의지가 활화산 터지듯 솟구칠 줄 알았다. 하지만 나는 부사장이 되어서도 졸리다*. 아직 모르는 게 많으니 공부를 해야 하는데, 밤 10시를 넘기면 벌써 눈이 가물가물하다. 마음이야 항상 분주하다. 배추도 공부해야 하고, 클레임 데이터도 모아서 살펴보고 싶고, 현장도 돕고 싶고, 사무실도…. 엄마는 말한다.

“야, 잘난 척하지 마.”

대기업 출신이라고 저가 알지도 못하는 것에 괜한 오지랖을 부리다가 결론적으로는 다른 일도 제대로 못 한다는 것이다. 크흑, 반박할 수가 없다. 하지만 1만 시간의 법칙이라든지, 4당 5락이라든지 세간의 성공 법칙에 따르면 성공의 기본 법칙은 가장 빨리 나와서 가장 늦게 가는 것 아니던가.

공장에서 1년을 지나고 있지만, 도무지 내가 할 수 있는 것이 무엇이고, 하지 않아도 되는 것은 또 무엇인지 여전히 갈피를 못 잡겠다. 모든 문제가 당면한 문제고 모든 업무가 나의 할 일 같다. 누적된 근무 시간은 태산 같고, 의지는 실날같다.

“할 수 있는 일과 해야 하는 일을 구분해야 돼요. 주말까지 현업 끌어안고 일하는 거. 그거 본인 좀먹는 거예요. 할 수 있는 일이라도 안 하고 끊는 연습도 해야 돼요.”

끙끙대는 내 꼴을 보고, 미국 코리아김치페스티벌에서 도움을 주신 윤 이사님이 말씀하셨다. 할 수 있는 일을 다 하려고 들면 결국 아무것도 못 한다고. 사실 공장에는 중요치 않은 일이 없다. 전화를 받는 목소리가 회사의 목소리가 되고, 공장 마당에 버려진 꽁초 하나가 회사의 첫인상이 된다. 어떤 일을 우선순위에 두어야 할지 갈피를 잡을 수가 없어서 무작정 모든 일에 덤벼들다가 번번이 고꾸라졌다. 윤 이사님은 주말에 일하지 않는 것이 나의 숙제라고 했다. 현업에는 절대 손도 대지 말라고. 영어를 배운다든지, 전시회에 간다든지, 평소에 못 하는 일들을 해야 한다고.

처음엔 그저 배부른 소리 같았는데, 사람들과 대화할수록 내가 뒤처지는 게 느껴졌다. 매일 똑같은 루틴을 반복하느라 겨우겨우 그날 뉴스만 따라잡는 수준이었다. 그때 이사님의 말이 다시 귓전에 울렸다. 할 수 있는 일을 다 하지 말라는 그 말씀이.

우리 공장에는 루비라는 친구가 있다. 루비가 어느 날 공장장님 생신이라고 작은 시계와 쿠키를 선물했다. 공장장님과 함께 나누어 먹는데, 사과잼이 든 쿠키가 참 맛있었다. "루비가 어느 나라 사람이죠? 이건 그 나라 과잔가 봐요, 되게 맛있네요" 했더니, "그거 루비가 만든 거야. 그 애가 그런 걸 참 잘 만들어"라고 답하셨다. 그때 다시 한번 뒤통수가 얼얼했다. 이 바쁜 생산직을 하면서도 루비는 자신의 취미를 잃지 않았다. 루비가 주말에 해야 할 일은 베이킹이었던 것이다. 아마 그런 시간이 있어 루비는 다시 또 힘을 내서 출근할 수 있었겠지.

나는 그 쿠키를 먹고 나서 다시 주말 바이올린 레슨을 시작했고, 일본어 시험을 신청했다. 그것들은 당장 내 공장 생활에 도움은 안 될지 모른다. 그래도 예순 살의 내가 바흐의 샤콘느에 도전할 힘을 주고, 언젠가 일본 시장을 개척할 밑바탕이 될지 모른다. 목적 없는 일들이 평일의 목적 지향적인 일을 할 밑거름이 된다.

그래, 주말엔 일하지 말자. 무조건 외워본다.

정말로 무서운 것

"어? 이게 뭐야."

미국 김치의 날 행사를 다녀와서 습관처럼 포털 사이트에 우리 회사 이름을 검색했다. 그날 꽤 많은 매체가 우리 회사를 인터뷰했는데, 막상 우리 회사 인터뷰는 하나도 기사화되지 않았다. 우리 회사 이름이 있어야 할 자리에는 다른 김치 회사 이름이 있었다. 아뿔싸.

그 업체는 양념 준비도, 배추절임도 아무것도 하지 않았다. 다만 한 가지, 보도자료를 준비했다. 특히 보도자료를 위한 사진을 많이 찍어 간 모양이다. 반면 나는 한국에서부터 양념을 이고 지고, 배추를 절이느라 고생하고, 행사 당일에도 온갖 양념을 버무렸지만 딱 한 가지를 안 했는데, 보도자료다. 그렇게 그날의 그 설렘, 걱정, 고생을 도둑질당했다.

천재는 사회적 산물이라는 글을 읽은 적이 있는데, 정말 그랬다. 본인을 알리는 데 게으른 천재는, 천재로 존재할 수가 없는 것이다. 기껏 맛있는 양념을 준비해서 좋은 평가를 얻어놓고도 아무에게도, 어디에도 알리지 못했으니 어디 가서 광고하다 왔다는 말도 못 하게 생겼다.

사장님과 이사님, 부장님들이 그간 겪은 이야기들을 들어보면 정말로 무서운 건 오로지 사람이다. 암만 돈이 무섭다 해도, 그 돈을 움직이는 것은 결국 사람이기 때문이다. 어른들의 이야기까지 들을 필요도 없다. 내가 겪은 것만 해도 충분하다.

광고주의 ‘주’자는 ‘주인 주 ’를 쓴다. 주인의 맞은편엔 손님이 서 있을 것 같은데, 순간순간 여기가 혹시 노예의 자리인가 싶을 때가 많았다. 예의를 차려 쓴 업무 메일을 받지만 속을 뜯어보면 일말의 배려가 없었다. 추석 전 마지막 근무날에, 이 정도면 시간 많이 드리지 않냐며 연휴가 끝난 뒤 첫 근무 날까지 수정안을 요구하는 식이다. 그나마 예의의 탈조차 쓰지 않는 광고주들도 적지 않았다. 뜬금없이 “어떤 개새끼가 이런 광고를 만들었나 했어!”라며 욕을 한 광고주 부사장도 있었다. 그 광고는 그의 부임 이전 부사장이 컨펌한 우리 팀의 광고였다.

돈이면 무엇이든 해도 되는 줄 아는 사람들은 곳곳에 있다. 네이버에 가입하기만 하면 무료로 운영할 수 있는 서비스를 돈이 든다고 말하는 업체, 뻔히 다 아는 광고 제작비를 뻥! 부풀려 놓고는 선심 쓰듯 말하는 업체, 내 핸드폰 앱으로도 찍히는 바코드가 안 읽힌다며 기껏 만들어 보낸 김치 한 팔레트를 돌려보내는 업체, 대뜸 밤 8시에 담당자 본인도 모르는 어떤 자료를 당장 요구하는 업체, 자신들도 야근을 하는데 왜 주말 생산을 안 하냐며 추궁하는 업체. 참 못됐습니다, 여러분. 여러분의 갑에게 그렇게 대접받으면 갑의 목은 못 따도, 맥주 몇 캔은 족히 딸 거잖아요.

“우리 엄마가 옛날에 그랬는데, 무서운 건 자전거가 아니라고. 무서운 건 사람이라고.”

어느 날 엄마가 말했다. 어릴 때는 그게 무슨 말인지 몰랐다고 했다. 그런데 나이가 들어보니, 당시 엄마보다 어렸던 외할머니가 얼마나 사람에 무섭게 당했으면 그 어린것에게 그렇게 말했겠나 싶었다고.

외할머니는 원래 나주 양반 가문의 고명딸이었다. 흑산도의 외할아버지에게 시집을 오고 얼마 안 되어, 외할아버지는 철도 기관사를 하며 번 돈을 사업한답시고 몽땅 다 날렸다. 가세가 급격히 기울자, 외할머니는 평생 험한 일 해본 적 없던 고운 손으로 나무도 해다 팔고, 나물도 캐고, 온갖 일을 다 하셨던 것 같다. 두 분 사이 다섯째 딸로 태어난 우리 엄마는 그저 엄마 껌딱지였다. 외할머니가 어디를 가든 따라다녔는데, 그때부터 돈을 세고 만지는 걸 좋아해서 외할머니가 시장에만 간다고 하면 꼭 달라붙었다고 한다. 엄마는 그때도 겁이 많아, 시장에서 자전거가 때르릉거리며 지나가면 무서워서 외할머니 치마폭에 숨어 나오질 못했다. 그러자 외할머니가 이렇게 말씀하셨다는 것이다.

"아가, 무서운 건 자전거가 아니다.
정말 무서운 건 사람이다."

공장을 시작하고 처음 몇 해, 새벽에 잠에서 깨어 거실에 나가보면 항상 엄마가 소파에 앉아 있었다. 그때 우리 집에선 멀리 북한산이 보였는데, 북한산은 바위산이어서 파르스름한 달빛을 받으면 바위가 파리하게 빛나곤 했다. 엄마는 그 푸른 빛에 잠겨 잠에 든 건지, 깬 건지 모르게 우두커니 앉아 있었다. 그렇게 침잠하는 엄마가 무서워 나는 외면하곤 했다.

언젠가 엄마의 화장대에서 우리 집 등기부 등본을 우연히 발견한 일이 있다. 나는 몰래 숨죽여 울었다. 압류되었다가 풀리고, 되었다가 풀리고…. 돌아보니 그때였다. 엄마의 얼굴에 푸른빛이 드리웠던 날들. 엄마는 가족들에게 공장 사정이 어렵다는 말은 한 번도 하지 않았다. 엄마의 호주머니 속에서는 어느 빚쟁이의 채근으로 핸드폰 벨소리가 연신 울렸을 테지만, 엄마는 공장이 잘된다고만 했다.

어떻게 다 잘되기만 할까. 사실은 나도 알고 있었다. 엄마가 얼마나 힘들게 일하는지, 얼마나 오래 서 있으면 다리가 그토록 뻣뻣해지는지, 하루 종일 버틴 다리가 얼마나 혈액순환이 안 되면 그리 차가운지, 오죽하면 한쪽 다리에 마비가 왔겠는지, 그게 보통 마음고생이었겠는지를. 하지만 뭐라고 위로해야 할지, 어떻게 힘이 되어줄 수 있을지 몰라 막막했다. 다만 기도할 뿐이었다. 누군지도 모르는 사람들에게, 제발 엄마 좀 도와달라고.

그러니까 결국은 사람. 돈을 주고받는 것도, 김치를 만들고 사 먹는 것도, 시련을 주고, 응원과 기도를 보내는 것도 사람. 갑도, 을도 사람. 모두 사람이다.

갑과 을. 그리고 을보다 한참 밑의 병정무기징역, 끝나지 않을 것 같은 이 슬픈 자리에서 조용히 읊조린다. 일만 하고 싶다. 욕심을 조금 더 내본다면, 그걸 재미나게 하고 싶다고.

성선설의 세계

"돈 많이 벌었죠?"

우리 공장은 매출이 큰 편이다. 그래서 오해를 많이 받는다. 그 집 사장은 엄청난 부자가 됐을 거라고.

여기서 낱낱이 공개한다. 이달의 수익률은 0.02퍼센트. 지난달 수익률은 잘 나와서 2퍼센트. 거짓말 같지만 진짜다. 종일 클레임 고객에게 시달린 끝에, 경리 부장님께 이 이야기를 들었을 땐 괜스레 눈물이 고였다.

"대체 이번 달엔 또 뭐가 그렇게 나간 거야?"

"뭐긴 뭐야, 고춧가루지."

사실 고춧가루만 5천 원 싼 걸로 바꿔도 이익률은 바로 개선할 수 있다. 지난가을에 배추 파동이 왔을 때, 우리가 김치를 계속 만들어 파니까 한 업체 사장님이 말했다고 한다.

"거기 사장 미친 거 아냐?"

끝없이 오르는 배춧값에 급기야는 학교 급식에 포기김치

납품을 포기하는 회사들이 생길 지경이었다. 그럼에도 우리 사장님은 계속 김치를 만들었다. 세척 배추를 건져놓으면, "야, 이게 1억 원어치네", 다음 날은 "야, 2억 됐다" 하던 시절이었다. 마감해 보니, 32억이 원재룟값이었다. 전기세, 수도세, 인건비 등 운영 경비를 제외한 순수 원재룟값만. 그것도 딱 한 달치. 그달 우리는 억 단위의 손해를 보았다.

하지만 고객님들의 전화를 받아보면, 허무할 때가 있다.

"왜 이런 쓰레기를 보냈어요?"

"이게 사람이 먹는 거예요?"

"왜 이딴 박스에 보내요?"

칭찬 전화도 많이 받지만, 클레임 전화도 많이 오니까.

고객님의 전화를 받다 보면 사람은 성선설을 믿는 쪽과 성악설을 믿는 쪽으로 나뉘는 듯하다. 어떤 사람들은 본인이 당한 나쁜 일에 항상 악의를 전제한다. 예를 들면 택배 박스가 부서진 채로 도착했을 때, 어떤 고객님들은 우리가 이미 부서진 아이스박스에 제품을 담아 보냈다고 생각한다. 품질이 별로인 배추를 받으면 공장에 있는 모든 배추가 그럴 거라 생각한다. 이물이 나오면 모든 제품이 그 모양일 거라고 생각한다. 우리는 고객님들을 속여 먹는 나쁜 회사라서.

'실수'라는 말을 감히 입에 담기가 무섭다. 잘못을 손쉽게 지워주는 단어니까. 하지만 공장에서 하루에 나가는 택배가, 많은 날엔 6천 건 정도, 김치 톤 수로는 7~80톤 정도다. 수많은 사람이 수많은 재료와 수많은 공정을 거쳐 만들기에 실수가 없기는 어렵다. 단 하나의 실수도 하지 않는 지경에 도달할 때, 우리는 완벽하다고 말한다. 지금 완벽하지 않다고 해서 완벽을 목표로 삼지 않는 것은 아닌데, 가끔은 속이 상한다.

"당신들도 썩은 배추로 만드는 거 아니냐고."

안 좋은 배추를 받아본 고객님들이 이렇게 다그치실 때, 나는 동업자 정신에 대해 생각했다.

"친구가 그 공장에서 일해봤는데, 위생이 엉망이에요."

어느 사이트에 달린 우리 공장에 관한 댓글. 이 글을 읽었을 때도 나는 동업자 정신에 대해 생각했다. 동업자 정신은 각자의 자리에서 각자의 최선을 다하는 것이겠구나.

아무리 관리자들이 노력해도 직원들이 함께하지 않으면 회사가 무너진다. 그 반대의 경우도 마찬가지다. 어느 회사가 큰 잘못을 저지르면, 그 산업 자체가 무너지기도 한다. 김치를 만드는 사람들의 동업자 정신은, 김치를 '잘' 만드는 것이다. 어느 김치 회사가 김치를 맛없게 만들고, 좋지 않은 재료를 쓰면 우리 회사는 잘될 것 같지만, 전혀 그렇지 않다. 성악설을 믿는 사람들이 성선설을 믿는 사람보다 많고, 사람들은 한번 입은 손해를 절대 까먹지 않으니까. 우리는 경쟁자들이 못할 때가 아니라, 경쟁자들이 모두 맛있고, 깨끗한 김치를 만들 때 더 잘된다. 모두가 각자의 위치에서 최선을 다해 가장 깨끗하고, 가장 맛있는 김치를 만들어야 의심 많은 고객님도 우리 회사의 실수를, 실수로 믿고 한 번 더 기회를 줄 수 있으니까.

실날갈은 빛줄기가 어두운 곳을 걸어갈 수 있게 해주듯이 소수의 사람이 하루를 환하게 밝혀줄 때가 있다.

"나 고맙다는 말 꼭 하고 싶어서 전화했어요. 명장도 명인도, 매번 배춧값 비싸지고 어려울 때는 김치를 안 팔더라고요. 그런데 내가 수년 전에 배추 파동 났을 때 처음 이 김치를 사 먹었거든요. 그 어려울 때 품절 안 하고 파는 것만 해도 고마웠는데, 먹어보니까 맛도 좋더라고. 그래서 내가 계속 이 김치를 먹어요. 재작년에도, 올해도 이렇게 어려울 때도 김치를 팔아줘서 고맙다고, 이 말을 꼭 하고 싶어서 전화했어요. 정말 큰 일 하고 있는 거예요. 고마워요."

이 고객님께만 100퍼센트 품질의 배추가 전해졌을 리 없다. 어딘가 분명 부족한 점도 있었겠지만, 누군가의 선한 의도를 상상하는 고객님 덕분에, 나는 다짐할 수 있었다. 성선설의 세계에서 살아가자고. 나의 선함을 상상하는 사람들을 위해 나아가자고.

코로나 생존기

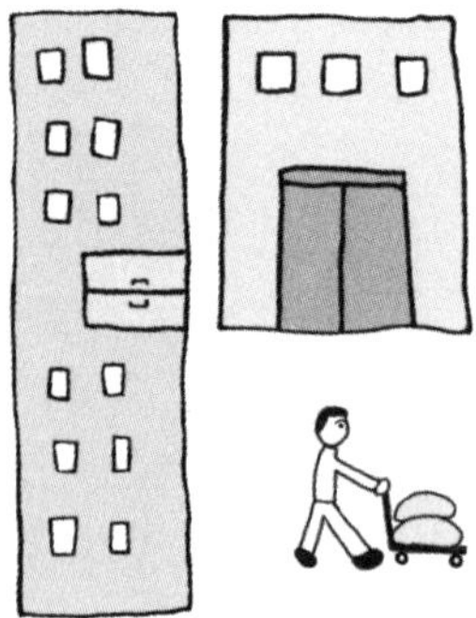

아, 그동안 돈 거저 벌었다.

입에서 이 말이 툭 굴러 떨어졌다. 광고회사가 힘든 줄 알았는데, 거기선 정말 거저 일했던 것 같다. 열하고 하루째 하루도 쉬지 않고 새벽부터 자정 넘어서까지 일을 하다 보니, 비닐을 묶다가도, 고명용 채소를 찾으러 냉장고에 가다가도, 양념으로 더러워진 바닥에 밀대질을 하다가도 눈물이 톡 떨어진다. 출근 100일 차, 우리 공장에도 코로나 집단 감염이 터졌다. 공장은 16일간 문을 닫았다가, 최소한의 인원으로 다시 생산을 시작한 참이었다.

그때 알았다. 웃음에도 체력이 필요하구나. 사람들의 농담에 웃음이라는 사회적 반사작용이 일어나지 않았다. 누가 무슨 이야기를 해도 얼굴 근육이 움직이질 않았다. 진짜 재미가 없었다기보다, 웃음을 지어낼 근력이 부족했다.

첫 번째 확진자가 나오고, 두세 번째 확진자, 그리고 비로소 집단 감염이 확인되기까지 숨도 제대로 쉬기 어려운 시간이었다. 공장이 폐쇄되는 순간 엄마는 나를 붙잡고 가슴을 쳤다.

"내가 미쳤지. 회사 잘 다니는 애를 왜. 그 좋은 회사 다니던 애를 내가 왜 불러서, 내가 미쳤지. 내가 어쩌자고 너를… 아이고, 너를 왜 불러서… 너까지 잘못되면 어쩌자고."

엄마는 말도 제대로 못 잇고 엉엉 울었다.

공장을 열고 지금까지, 우리 생산 라인은 어떤 어려움이 닥쳐도 멈춘 적이 없었다. 빚쟁이들이 공장 마당에 진을 치고 앉은 날에도 엄마는 생산 라인에 들어가 양념을 하고 포기를 쌌다. 압류만 기십 번을 받아 수금이 돌지 않았을 때도 엄마는 절임실에서 남자들과 악다구니를 써가며 배추를 절였다.

10년, 15년 동안 엄마와 함께 고락을 나눈 여사님들이 모두 확진 판정을 받고, 절이던 배추 10여 톤과 절여 놓은 배추 30여 톤을 다 갖다 버리며 나도 눈이 부르트도록 울었다. 격리되어 재택근무를 시작해야 하는 사무실 직원들도 책상 정리를 하면서 하나둘 울음을 터뜨렸다.

그 와중에도 바타는 사과를 했다.

"사장님, 내가 아파서 공장이 힘들어져서 미안해요."

바타가 기숙사에서 격리 센터로 가기 전에 엄마에게 한 말. 눈물이 아직도 남아 있나 싶게, 엄마는 이 말을 듣고도 또 한참을 울었다. 바타가 무슨 죄냐고. 바타는 기숙사와 공장만을 오가며, 밥 먹을 때를 제외하곤 마스크 한 번 내린 적도 없는데 그 애가 아파서 어떡하냐고.

"그래도 우리는 공장을 지켜야지."

엄마는 폐쇄 기간 동안 공장에서 지내자고 했다. 엄마는 생산이 늦어지면 사장실에서 자는 일이 많아서, 사장실에는 샤워실이 붙은 조그만 온돌방이 딸려 있다. 그 작은 방에서 엄마와 보름을 보냈다. 문을 닫은 공장에서도 할 일은 많았다. 낮 동안에 종종거리며 이런저런 일을 하다가도, 밤이 되면 잠이 오지 않았다. 엄마와 뻔한 수다를 떨다가도 목이 메었다. 식품 공장에서 코로나라니, 우리가 다시 일어설 수 있을까.

새벽에 눈을 떴을 때, 엄마가 옆에 없어서 찾아보면 엄마는 공장 곳곳에서 기도하고 있었다. 다가가면 "도와주세요, 도와주세요" 하는 소리가 작게 들렸다. "부디 모두 무사히 돌아오게 해주세요, 제발 도와주세요" 하는 읊조림이.

바이러스가 기승을 부리는 동안 수도 없이 많은 회사와 가게들이 수도 없이 많은 폐쇄를 겪었는데, 다들 어떻게 버텼던 걸까. 그 시절의 우리를 생각하면, 언론보도 속 무심한 '폐쇄'라는 글자 뒤에 놓였을 모든 사람이 걱정되어 두 손을 불들게 된다.

아무도 귀히 여기지 않는 음식. 급식실에서 하루에도 몇십 킬로그램씩 그냥 버려질 밀반찬. 나는 누구도 알아주지 않을 고통을 반복하며, 직원도 관리자도 아닌 어정쩡한 마음으로 매일매일 부사장으로 출근하고 있다. 앞으로의 이야기는 해피엔딩일까. 아직까진 어떤 복선도 없다.

다만, 코로나 바이러스가 기승을 부리던 시기를 버텨냈듯이 앞으로의 일들도 어떻게든 버텨내기를 바랄 뿐이다. 언젠가는 이 시절을 돌아보며 '그때는 너무 힘들어서 내가 맨날 중2병처럼 굴었다'라는 이야기를 웃으며 할 수 있기를, 오직 그것만을 바랄 뿐이다.

아름답게 헤어지기

금순이 여사님이 그만두던 날, 여사님이 내게 어깨동무를 하며 “오래 다닌 회산디, 아쉽다 그쟈?” 하고 덤덤하게 말씀하셨을 때 왈칵 눈물이 났다.

금순이 여사님은 내 대학생 시절에도 공장에 계셨고, 첫 직장에 들어갔을 때도, 광고회사를 근 10년 채우고 공장에 첫 출근을 했을 때도 공장에 계셨다. 이직 전에 내가 가끔 공장에 놀러 갈 때면 “아이구~ 사장님 큰딸 왔구나” 하면서 반갑게 맞아주셨다. 내 기억이 맞다면 금순이 여사님은 올해로 일흔넷. 나이 1등, 체력도 1등이시다. 야근이 이어지든 주말 출근이 이어지든 포기 라인을 보면 항상 어딘가엔 금순이 여사님이 있었다. 내가 야근으로 남아 있거나 주말에 출근하면, “그라면 신랑이 싫어 안 해?”라고 장난기 어린 얼굴로 물으셨다. 여사님도 출근하셨으면서. 결혼도 안 했고, 그는 내

신랑도 아니지만 나는 항상 "그러니까요, 얼마나 싫어하는지 몰라요" 하고 대답했다. 그러면 금순이 여사님은 또 이렇게 대답하시곤 했다. "우리 양반도 그려. 여든 다 되아서, 아주 주책이쟈?"

"10년 넘게 공장을 다녔는데, 내일부터 안 나온다 생각하니 마음이 이상햐. 사장님한테 인사를 못 하고 가니 섭섭해서 으짜까나잉" 하시는 금순이 여사님 눈가에는 금세 눈물이 차올랐다. 뒤에서 부장님들이 "에이, 다시 못 볼 사람처럼 왜 그래요, 송년회 때도 오셔야지" 큰소리로 말씀하셨다. "그쟈? 나는 공장 또 나올 수도 있어. 몸만 성하믄." 마지막 퇴근을 하시며 금순이 여사님은 쉽사리 발걸음을 떼지 못했다. 엄마가 뒤늦게 금순이 여사님한테 다시 전화해서 말씀하셨다.

"여사님! 쉬다가 또 나오셔~! 우린 언제든 열려 있으니까. 보건증만 해서 오셔요. 송년회 때도 꼭 오셔, 할아버지랑 같이. 금 받아 가야지, 금. 퇴사자 금목걸이 꼭 받아야지."

핸드폰 너머로 "내가 다른 사람은 몰라도, 사장님이 부르면 꼭 갈게" 그러는 목소리가 들려왔다. 금순이 여사님을 볼 때마다 그랬던 것처럼 슬며시 웃음이 나왔다.

회사원의 끝은 무엇일까.

피카츄가 라이츄가 되고, 파이리가 리자몽이 되는 것처럼 상무나 사장이 회사원의 최종 진화형일까. 사원이 대리 되고, 차장이 팀장 되고, 팀장은 임원 되고, 그것으로 끝인 걸까.

나는 회사를 다니면서도 내 진로를 생각하면 늘 불안했다. 제작팀의 팀장이 된 내 모습은 잘 그려지지 않았고, 임원이 된 모습은 떠올리면 웃기기만 했다. 그러던 어느 날, 갑자기 제작 본부의 타운홀 미팅이 열렸다. 회사를 근 30년 다닌 우리 상무님의 송별 미팅이었다. 제작팀의 선배들이 조용히 말했다. “상무님, 퇴사 통보 어젯밤에 받으셨대요.” 그 말에 가슴이 묵직해졌다. 어떻게 그럴 수 있을까. 상무님은 언제나 회사에 최선을 다하셨는데, 회사는 이별의 순간마저 최선을 다하지 않았다. 살갑게 지낸 사이가 아닌데도 상무님의 마지막 인사에 눈물이 떨어졌다. 이건 틀렸다는 생각만 들었다.

그날의 장면이 며칠이고 잊혀지질 않았다. 나는 상무님만큼 회사에 열정적이지도 않은데, 회사와 나의 이별은 어떤 모습일까. 문득, 회사원의 마지막은 리자몽 같은 임원이 되는 것이 아니라, 회사와의 이별 장면을 스스로 만들어내는 것이라는 생각이 들었다. 내가 결정한 모습으로 회사를 떠나는 것. 그러자 새로운 질문이 떠올랐다. 꼭 이 회사가 아니더라도 내가 할 수 있는 것은 뭐가 있을까. 미약한 가능성을 지닌 여러 가지가 떠올랐다. 그러나 그중 내가 이 세상에서 가장 이어가고 싶은 것. 그건 하나뿐이었다. 엄마가 죽을힘을 다해 만든 공장. 내가 투신해야 하는 것이 있다면, 그건 엄마의 김치밖에 없지 않나. 그렇게 나는 상무님 모르게, 상무님 뒤를 따라 퇴사했다.

퇴사한 뒤에도 종종 퇴사의 얼굴에 대해 생각한다. 퇴사는 참 다양한 얼굴을 지녔다. 내가 공장에 온 뒤로 많은 분이 회사를 떠났다. 금순이 여사님처럼 아쉬움 속에 발걸음을 옮긴 분도 있고, 업무에 지쳐 떠난 분들도 있었다. 퇴사조차도 전 직장인 대기업과 우리 작은 공장의 모습은 많이 다르다. 퇴사를 앞두면 동료들에게 인사 메일도 쓰고, 여러 퇴직 절차를 밟아야 하는 예전 회사와 달리 우리 공장에서는 퇴사가 참 쉽다. 그래서 아무도 모르게 당일에 퇴사 통보를 하고 누구에게도 인사 없이 도망치듯 떠난 사람들도 있었다. 행여 발목이라도 붙잡힐까 봐. 그분들은 남은 이들을 동료라고 생각하긴 했을까.

"나는 가끔 현 반장 얼굴을 보면서 생각을 해. 우리 현 반장이 더 나이 들면, 누가 김치를 담글까. 어떤 젊은 친구가 이 일을 해낼 수 있을까."

사장님이 어느 날 생산 라인을 돌다가 문득 말씀하셨다. 현 반장님은 10여 년이 넘는 세월 동안, 우리 공장에서 특수 김치 생산을 담당하신 분이다. 우리 회사에서 나오는 모든 오이소박이, 보쌈김치는 현 반장님의 손을 거친다. 장인의 손길이 필요한 일 곁엔 언제나 그가 있다. 어느새 늘어난 반장님의 주름살을 보며, 엄마는 몇 년 뒤일지 모를 반장님과의 이별을 준비한다.

김치는 사양 산업일까. 그렇게 생각하니 어쩐지 하루하루가 김광석의 노랫말 같다는 생각이 든다. 매일 이별하며 살고 있구나.

이별의 순간, 할 수 있다면 금순이 여사님처럼 떠나고 싶다. '또 볼 거잖아요' 하며 웃으면서. 결별이 이룩하는 축복 속에서.

인터뷰

누군가는 웃을 수도 있겠지만

영업부, 조 부장님 이야기

조 부장님은 모르시겠지만, 나는 부장님이 나와 참 비슷한 사람이라고 느낀다. 나랑 키도 비슷하고, 길에서 호객 잘 당할 것 같은 인상이라는 점도 닮았다. 무엇보다, 남에게 어려운 부탁을 하느니 내가 하고 말지 하는 성격이 그렇다.

하지만 나와 조 부장님에게 아주 강력하게 다른 점이 있는데, 첫 번째는 부장님은 내가 본 사람 중 일을 가장 꼼꼼하게 잘하신다는 점이고, 두 번째는 절대 규칙을 어기지 않는다는 점이다.

최팀 만약에 우리가 회식을 하잖애? 그럼 부삼은 차를 두고 와야 돼. 왜냐믄 나나 부삼은 대리 안 잡히믄

음주 운전을 할 것 같애. 근데 조 부잠[■]은 저얼대 안 할 타입이야. FM이야. 그니까 조 부잠이 우리가 차를 안 움직일 수 있는 쪽으로 오는 게 맞아.

언젠가 아직 오지 않은 회식 날을 기다리며, 최 팀장님께선 이렇게 말씀하셨다. 또한 조 부장님은 승부욕도 있는 편이라, 계산기 치는 속도조차 빨라 여쭤보니 이런 대답을 들었다.

조부 저도 전공이 원래 이쪽이 아니어서, 처음에 경력 시작했을 때 속이 많이 상했어요. 업무 속도가 성에 찰 만큼 안 나와서. 그래서 그때는 막 선배들처럼 빨리 하고 싶어서 집에서 계산기 빨리 치는 거 연습도 하고 그랬어요. 아무 숫자나 빨리빨리 치는 그런 연습.

계산기 누르는 연습이라니! 나는 상상할 수 없는 일이다. 부장님은 우리 사무실에서 눈물이 제일 많아서, 코로나 셧다운 때 가장 많이 우신 분이기도 했다. 사장님이 난간을 잡고

■ 오타가 아니다. '조 부장님'을 빨리 말씀하시는 최 팀장님 말 그대로 따왔다.

계단을 내려가는 모습만 봐도 눈물을 글썽이신다. 계단을 날아다니던 사장님이 언제 이렇게 약해지셨냐고.

그런 부장님이 올해 초, 진지하게 회사를 그만둬야 할지를 고민하셨다. 건강이 너무 안 좋으셨다. 사장님과 부장님이 한참 동안 면담을 마치고 나왔을 때, 두 분 다 눈가가 붉었다. 부장님은 퇴사 대신 한 달간의 휴직 기간을 가지셨다.

나　부장님, 요새 계속 야근하셔서 어떡해요. 몸은 괜찮으세요?

조부　괜찮아요. 그래도 그때 쉬어서 그런가, 많이 좋아졌어요.

나　그래도 가족분들이 걱정 많으시죠?

조부　아무래도 걱정을 많이 하긴 하는데, 이젠 정말 괜찮아요.

나　제가 빨리 업무를 잘해서 일찍 보내드려야 하는데.

조부　그래도 부사장님 오셔서 저도 일을 많이 덜었어요. 제가 이 공장 온 지 한 5~6년 되거든요. 처음에 왔을 때 인수인계가 하나도 안 되어서 참 많이 고생했어요. 사무실에는 일을 알려줄 사람이 아무도 없고, 그만둔 분은 전화도 안 받고. 그래서 저는 그때부터 자료를 만들었어요. 꼭 내가 그만두지 않더라도, 나처럼 고생하는 사람이 없으면 좋겠어서. 사실은, 올해 그만둘까 생각했을 때 제가 정말 고민을 많이 한 게 있는데 뭔지 아세요?

짐작도 되지 않았다. 퇴직금 걱정이셨을까.

조부　이 업무를 누구한테 주나, 그 생각이요. 제가 하던 일들이 다 제 새끼들 같은 거예요. 남들이 들으면 웃을 수도 있겠지만 정말 그랬어요. 저 오고 나서 이 회사에 홈쇼핑 같은 업무들이 막 생겼는데요, 아무도 해본 적이 없으니까 보고 양식이며, 방송 효율 집계 양식이며, 마감 양식이며 제가 만들지 않은 게 없거든요. 저한테 SCM 어떻게 그렇게 잘 보냐고 하셨잖아요? 제가 홈쇼핑 전산 담당자들한테도 정말 많이 물어봤거든요. 그렇게 다 하나하나 배운 것들이에요. 어느 하나 제 손이 안 탄 게 없는데, 이걸 어떻게 다른 사람한테 넘겨주나. 이다음 사람이 잘할 수 있을까. 이 파일 하나하나가 정말 제 자식처럼 느껴지는 거예요. 별거 아닌 거 아는데도.

눈물 많은 사람답게 나는 왈칵 눈물이 차오른다. 나는 감히 짐작할 수 없는 애정이다.

조부 저는 이렇게 생각해요. 그래도 내가 할 수 있는 일이 있으면, 최선을 다해서 우리한테 유리하게 만들어보자고. 예를 들어서, 원물 가격이 오르면 따로 지시가 없었어도 거래처에 인상된 가격을 한번 제안이나 해보는 거예요. 그래서 제안이 받아들여지면 좋고, 아니어도 잃을 건 없잖아요. 저는 두 아이의 엄마잖아요. 아이들한테 떳떳하게 일하고 싶어요. 내가 일터에서 멋지고 자신 있게 일해야 아이들에게도 보여줄 게 있잖아요. 저는 제가 하는 일에 대한 자부심이 있거든요.

정말 그래서일까. 조 부장님은 항상 멋지게 일하신다. 대리

점 사장님들이 은근슬쩍 넘기려고 한 계약 사항들도 다 잡아내시고, 미수금이나 단가 오류도 얼마나 귀신같이 찾아내시는지 모른다. 나는 아무리 연차가 쌓여도 이런 부분까지는 결코 도달하지 못하겠다는 생각이 가끔 들 정도로.

조부 일을 하면서 느끼는 게, 내가 회사의 돈을 아끼거나, 벌어줄 수 있는 부분이 생각보다 크더라고요. 그래서 저는 일을 잘하고 싶고, 나이 들수록 '나는 그럴 때 기뻐하는 사람이구나' 하고 느껴요.

공장의 선배들과 이야기할수록, 자조적으로라도 '좆소'라는 표현은 절대 쓰지 않겠다 다짐하게 된다. 세대의 차이일까. 요즘엔 자랑할 만한 회사에 다님에도, 회사나 업무에 대한 긍지나 자부심이 없는 사람들이 더 많다. 나도 그랬다. 남 좋으라고 하는 일에서 무슨 보람을 느낀단 말인가.

하지만 내세울 것 하나 없는 작은 공장에 다니면서도, 공장의 선배들은 직업인으로서의 자부심을 잃는 법이 없다. 그 긍지를 담기에 좆소라는 말은 그릇이 너무 작다. 그곳에서 근무하는 사람들까지 하잘것없게 끌어내린다. 작은 회사에서 일하는 사람들은 애초에 작은 능력만 있는 것처럼, 적당히 시간이나 때우다 갈 것처럼.

조부 사실 퇴사 고비 때마다, 그 때문에 버텼어요.
가족들에게도 민망해서 못 하는 말이죠.
사장님께서 잡아주신 것도 정말 큰 힘이 됐지만,
저는 모르겠어요, 이 업무 자체가 참 소중해요.

일을 대하는 태도. 이 작은 회사에 와서 나는 일에 대한 자세를 새로 배우고 있다. 이토록 존경스러운 분들께.

4장. 뒷모습 보며 걷기

전투와 같이, 땡크와 같이

대행사의 일은 창업과 비슷한 면이 있다. 내가 할 수 없는 일들을 나 대신 할 수 있는 사람들을 찾아내, 정해진 날짜까지 완수해야 하기 때문이다. 그래서일까, 대행사 밥을 먹은 사람들은 여느 직장인들보다 창업을 두려워하지 않는 것 같다. 입사 후 5년이 되기 전에 예닐곱의 동기들이 회사를 차리거나, 새로운 회사를 운영하기 위해 회사를 떠났다. 10년이 지난 지금은, 나를 포함해 떠난 동기들이 절반 이상이다.

떠나는 친구들을 보며 나는 옛날에 엄마가 했던 말을 생각했었다.

"빨간 날 쉬는 직업이 최고야. 월급쟁이 속이 젤 편하지."

엄마는 목장을 하고, 식당을 하고, 노래방을 하고, 또 김치 공장을 하는 동안 한 번도 남들 놀 때 놀아본 적이 없었다. 오히려 남들이 쉬면 더 일해야만 했다. 엄마가 공장을 세워 고생하는 걸 보면서 나는 죽을 때까지 사업 같은 건 안 하고, 남의 돈을 받는 일만 하겠다고 생각했다. 그런 내가 공장에 와 있으니, 인생은 참 모를 일이다.

지난 명절에는 엄마랑 옛날 물건들을 정리하다가 언젠가 엄마가 써둔 일기를 발견했다. 그 일기는 거친 필체로 쓰인 딱 한 장의 메모였다. 엄마가 가장 힘들 때 쓴 일기인데, 글자 하나하나에서 힘이 뿜어져 나오는 듯했다.

난 인생을 57년 살았다
그동안 하루도 힘들지 않게 보낸적이 없었다
하지만 한번도 힘들다고 생각해본적이
없다. 열심이 열심이 한다면 안될것도
없다고 생각하기 때문이다.
하지만 오늘은 슬프다 슬프지만 더
강해지련다. 분명난 더욱 성공할것
이다. 성공해야 되고. 난지금도
힘이 [illegible]다 생긴다. 난힘이 있다
누구도 그무엇도 나의힘을
막지 못할것이 다
난 전투와 같이 폭탄 과 같이
탱크와같이 전진할것이 다
그무엇도 날가로막지 못할것이
다 난 전진한다 그무엇도
뚫고 나갈것이다.

난 인생을 57년 살았다.

그동안 하루도 힘들지 않게 보낸 적이 없다.

하지만 한 번도 힘들다고 생각해 본 적이 없다.

열심히, 열심히 한다면

안 될 것도 없다고 생각했기 때문이다.

하지만 오늘은 슬프다.

슬프지만 더 강해지련다.

분명 난, 더욱 성공할 것이다. 성공해야 되고.

난 지금도 힘이 생긴다.

난 힘이 있다.

누구도, 그 무엇도

나의 힘을 막지 못할 것이다.

난 전투와 같이, 폭탄과 같이,

땡크와 같이 전진할 것이다.

그 무엇도 날 가로막지 못할 것이다.

난 전진한다.

그 무엇도 뚫고 나갈 것이다.

눈물이 핑 돌았다.

"엄마, 이날 무슨 일이 있었던 거야?"

"몰라, 기억도 안 나. 쓴 기억만 나고."

엄마 방에서는 서랍을 정리해도, 옷장을 정리해도 채무 변제와 관련된 온갖 각서들이 나왔다. 빚을 갚고, 다시 얻고, 또 갚고, 얻고, 다시 또 갚는 여정.

엄마의 매일은 정말 모든 순간이 각오였구나. 그리고 그런 힘겨운 날도, 버티다 보면 언젠가 잊히는 날이 오는구나. 엄마의 키는 나랑 똑같은 156센티미터. 나와 같은 작은 몸의 엄마가 매일 같이 무언가를 각오하며, 하루하루를 버텨냈구나. 그렇게 버텨낸 끝에, 조금은 편안해진 얼굴로 명절 빨간 날을 집에서 보낸다는 게, 내 옆에서 집 정리를 하고 있다는 게, 어느 명절엔 그 사실 자체가 참 고마웠다.

손발 참

안 맞는다

우리는 누군가와 반드시 두 번 만나는데,
한 번은 서로 같은 나이였을 때,
다른 한 번은 나중에 상대의 나이가 됐을 때 만나게 된다.

– 김애란, 『잊기 좋은 이름』, 열림원(2019)

엄마랑 일하기 참 힘들다. 톡 부풀어 나오는 이 말풍선을 가까스로 눌러 터뜨린다. 진심이다. 우리 박 사장님이라 힘든 건지, 엄마라는 존재와 함께 일하기가 원래 힘든 건지 헷갈리긴 하지만.

우리 회사 사람들이 가장 두려워하는 순간은 사장님이 '존댓말'을 할 때다. 사장님의 평소 말투는 오지랖 넓은 옆집 아줌마처럼 다정한 반말이다. 주요 대사는 이렇다. "밥은 먹었냐~?", "이것 좀 먹고 해라~", "내가 이거 따왔다~", "어멈머 그래도 되나", "잘했다", "알구~ 그게 되겠냐", "한번 해봐라, 망신이나 안 당하면 다행이다."

내용은 다소 격해도, 사장님이 반말을 쓰실 때는 경보 수위가 낮다. 진짜 문제는 사장님이 존댓말을 쓸 때다.

"조 부장(송 부장·공장장·상무)!"

누군가의 이름이 불리면 침을 꿀꺽 삼키는 순간이 지나고, 사장님이 짧게 덧붙인다.

"이게 뭐예요?"

이때가 가장 두려운 순간이다. 이다음부터 이어지는 존댓말의 폭풍은 7년을 다닌 부장님도, 5년을 다닌 팀장님도, 사장님의 몸에서 나고 자란 나도, 모두가 무섭다. 사장님은 수가 틀리면 안방에서도 나에게 존댓말을 한다. "이거 아니에요. 내가 언제 이런 걸 만들라고 했어요."

나는 예전 회사에서도 특별히 감정을 잘 숨기는 직원은 아니었다. 특히 눈물에 관한 한 F학점이었다. 울고 싶지 않고, 울 기분이 아닌데도 눈치 없이 후두후두 떨어지는 눈물에 난감할 때가 많았다. 그런데 심지어 팀장님이 엄마고, 사장님도 엄마라니. 눈물 마를 날이 없다. 울면서도 생각한다. 젠장,

이러면 역시 아들이 있어야 한다고 생각할 텐데. 나는 가끔 눈물을 흘리는 내가 너무 싫다.

모시는 상사가 하필 엄마라, 나는 의전을 자주 까먹고, 그래서 혼이 난다. 고객들의 항의 전화를 받다가도, 그게 꼭 엄마를 욕하는 것처럼 들려서 눈물부터 떨군다. 그래서 또 혼난다. 내가 예측하는 엄마가 원하는 바는 사장님이 생각하는 것과 너무 다르고, 그래서 또 혼이 난다. 그냥 사장님께는 절대 안 틀렸을 일들을 사장님이자 엄마인 사람에게는 자꾸 틀린다.

엄마도 마찬가지인 모양이다. 그냥 직원이었으면 '애썼다' 하고 말 것을, 말 몇 마디씩을 꼭 보태서 나를 곤란하게 한다. 홈쇼핑 인서트 촬영장에서는 내가 광고회사에 다닐 때처럼 촬영장을 누볐다가 이사님과 부장님의 곤란한 부탁을 들었다. "부사장님, 일 좀 그만하시면 안 돼요?"

사장님한테 혼났다는 거다. 왜 재만 일을 하느냐고. 부장님이나 이사님은 나보다 열 살, 스무 살 많으신데, 당연히 막내가 움직여야죠, 사장님. 회사에 일찍 출근해 청소기를 돌려도 왜 이걸 다 네가 하느냐며 사장님께 혼난다. 내가 하고 싶어서 한 일인데, 나는 직원들의 눈치도 보고, 사장님의 눈치도 봐야 하고, 엄마 눈치도 봐야 하고, 할 일은 성에 차도록 하지도 못하고…. 아무튼 손발 안 맞는 게 한둘이 아니다.

나와 손발이 안 맞는 엄마는, 다른 직원분들과는 손발이 잘 맞는 것 같다. 생산 팀장님이 억울한 일로 혼나신 것 같아서 그를 기다렸다가 이렇게 여쭈었다. "이렇게 혼나시면 너무 억울할 것 같아요. 제가 다 속상했어요."

그러자 팀장님이 말했다.

"아니, 다른 사람은 몰라도, 나는 사장님이 B라고 말했어도 A로 알아들어야 했는데. 나는 사장님이랑 5년을 일했잖아. 나는 사장님이 어떨 때 화내시는지 알잖아. 그 맥락을 보면 나는 알 수 있는 건데, 내가 그 부분을 놓친 거예요. 그게 아쉽지, 억울할 게 뭐 있어."

그 순간 엄마가 무척 부러웠다. 내가 엄마만큼 나이 들었을 때, 나는 과연 나보다 스무 살 넘게 어린 후배에게서 이런 믿음을 얻을 수 있을까. 생산 팀장님의 말씀으로 말미암아 나는 직업인으로서의 엄마가 다시 보였다.

한편 조 부장님과 2층 사무실에서 1층으로 함께 계단을 내려가다가 이런 말을 들었다.

"사장님이 예전에는 이 계단을 장화 신고도 그냥 뛰어 내려가셨거든요. 근데 어제 보니까 사장님이 한 계단 한 계단 난간을 꼬옥 붙잡고 조심해서 내려가시는 거예요. 사장님이 이제 나이가 드셨구나, 그 생각이 들더라고요. 한 번도 사장님이 나이 드셨다는 생각을 해본 적이 없는데. 그래서 주책맞게 눈물이 막 나려고 하더라고요."

그 말에 나도 눈물이 핑 돌았다. 빨간 고무장화를 신고 현장을 날아다니던 엄마의 걸음이 이제 예전만큼 급하지 않구나. 엄마의 시계는 쉼 없이 돌아가 공장을 부풀렸고, 그사이 엄마의 연골은 조금씩 더 닳았구나.

나와는 손발이 안 맞는 엄마는 이렇게 신뢰를 얻으며 일하고 있다. 회사 후배로서 나는 그게 참 부럽다. 나는 엄마를 생각하는 마음이 직원들보다도 못한 불효녀지만 가끔은 솔직히 생각한다. 엄마가 내 엄마라 자랑스럽다고.

레썸

삐리리

रेशम फरिरी

공장이 코로나로 셧다운되었을 때도 슬픈 일만 있던 건 아니었다.

사장님, 그런 걸 올리세요

코로나 집단 감염으로 우리 공장이 뉴스에 떴을 때 공장 전화는 말 그대로 마비가 됐다. 인터넷 문의와 항의 전화가 거짓말 조금 보태 하루에 천 건씩은 들어왔다. 이미 코로나 2년 차였는데도 그랬다. 코로나 초기처럼 막연한 두려움이 있는 것은 아니었다. 그래도 김치는 '먹는 거'니까, 고객님도 우리도 걱정이 앞섰다. 다행히 대부분의 고객님께서는 식품을 매개로는 코로나 감염 위험이 없다는 것을 알고 계셨고, 그럼에도 교환이나 반품을 원하시는 고객님께는 즉시 처리를 도와드렸다. 비감염 사무실 직원분들이 재택근무를 하면서 하루에 3~400건의 응대를 했는데, 그중 응대가 어려운 건은 사장님이 직접 전화를 드렸다. 그중 한 고객님의 목소리가 잊히지 않는다.

"내가 이 김치요, 여기 홈페이지 처음 생길 때부터 먹었어요. 그런데 코로나가 터졌다고 해서 너무 불안하고 화도 나서 다 찾아봤어요. 코로나 걸린 사람들이 만들었다고 감염되는 거 아니라잖아요. 이거 아셨어요? 이게 식약처에서 나온 기산데 왜 이런 거 안 올리세요? 왜 고객을 불안하게 두는 거예요?"

그분은 무섭게 따지며, 우리의 편을 들었다. 하지만 감히 생산자가 먼저 올리기에는 염치가 없는 말이라 생각했다. 그저 죄송하다고 눈물만 흘리는 사장님에게 그 고객님께서는 이 뉴스를 꼭 공지 게시판에 올리라며 두 개의 링크를 보내주셨다. 수화기 너머로 들리는 그 다정한 질책에 나도 눈물이 차올랐다. 우리는 그렇게 고객님의 단호한 지지 속에 뻔뻔한 공지 사항을 올릴 수 있었다.

그 고객님뿐만이 아니었다. 70퍼센트에 육박하는 고객님들은 주문을 취소하지 않고 무려 3주가 넘는 기간을 기다려주셨다. 공장이 정상화된 뒤에 보내도 되니까 주문은 취소하지 않겠다고. 그래서 죽을힘을 다할 수 있었다. 믿고 기다려주는 사람이 있다는 게 얼마나 큰 힘이 되는지. 지구의 온 친구들이 힘을 모아 보내주는 소년 만화의 주인공은 아니었지만, 어렴풋이 그 기분을 알 것 같았다.

그때 그렇게 불같이 화를 내시던 고객님 중 한 분은 1년이 다 되어가는 지금도 사장님께 문자를 보낸다. 오늘 홈쇼핑에서 당신 김치 주문했다고. 오늘 입은 한복 참 잘 어울렸다며. 거기에 사장님은 또 눈웃음을 붙여 답을 보낸다. 내게는 이 분께 서비스 김치를 챙기라는 당부를 잊지 않으신다.

브랜드와 고객 사이에도 동료애가 있구나. 어쩌면 사장과 직원 사이보다 더 끈끈한 동료애가 브랜드와 고객 사이에 형성될 수 있구나. 나는 그 시절을 지나며 몸에 새겼다.

인생은 아름다워

"재들은 잘 챙겨 먹고 있나 몰라."

엄마가 뜬금없이 꺼낸 말은 기숙사에서 격리 중인 외국인들 이야기였다. 하필 이 더운 여름에 단칸방 생활이라니. 엄마는 격리 기간에도 기숙사로 피자를 보내고, 음식을 만들어

보냈다. 공장에 손님이라도 오면, 아이스크림을 꼭 열댓 개씩 사 오게 해서 기숙사에 올려 보내곤 했다.

코로나 셧다운 시절에 엄마와 나의 낙은 밤의 공장 산책이었다. 기숙사 친구들이 움직일 수 있는 곳은 딱 기숙사 문 앞까지였는데, 해가 지면 한 명씩 순서대로 계단 참에 나와 바람을 쐬고 들어갔다. 어쩌다 공을 가진 친구가 앉아 있으면 그 선을 경계선 삼아 엄마랑 공을 주고받기도 했다. 그 공은 마치 서로의 안부 같았다.

잘 지내니?
잘 지내요.
밥맛은 어떠냐.
좋아요.

박민규의 소설에서 읽은 한 구절이 떠올랐다.

• [illegible]

> 어쩌면 안부란 것은, 악하고 평범한 인간들끼리 주고받는 일종의 위로가 아닐까, 란 생각이, 당신께 보내는 편지를 시작하면서 강하게 드는 새벽입니다.
>
> – 박민규, 『지구영웅전설』, 문학동네(2003)

사람이 연결되어 있으면 어떤 식으로든 위로받을 일도 생긴다. 사람만이 사람에게 상처를 주지만, 그만큼의 애정도 줄 수 있다. 이 사실이 그때는 왜 그리 새삼스러웠는지 모른다.

레썸 삐리리

수동 감시 기간이 해제되고, 양념을 할 수 있는 바타의 자가 격리가 풀리면서 공장은 조금씩 다시 가동되기 시작했다. 그때 엄마는 참 신명 나게 일했다. 동네에서도 많은 도움을 주셨다. 엄마의 많은 지인이 보건증을 떼고 공장에 일손을 보태기 위해 찾아왔다. 그때 우리는 세파에게 노래를 하나 배웠다. 제목은 〈레썸 삐리리〉였다.

그런데 세파에게 노래를 배운 엄마는, 정작 디네스에게 노래를 시켰다. 디네스가 보일 때마다. 계단을 지나다가도, 배추를 내리다가도, 식판을 들고 있다가도….

"야! 디네스! 노래 좀 해봐라!"

"레써엄~ 삐리리~이이~ 레써엄 삐리리~
후에나 단장 다라나 반쟝 레썸 삐리리~"

노래 주문은 끊임이 없었다.

처음에 디네스는 자국 문화를 알리는 것에 큰 자부심을 보였다. 〈레썸 삐리리〉가 네팔인들에게 얼마나 소중한 노래인지, 유튜브에 올라온 여러 버전 중 어떤 곡이 진짜 오리지널인지 알려주었다. 그러나 〈레썸 삐리리〉 자판기처럼 사장님이 버튼을 누르면 노래를 부르던 디네스는 어느 순간부터 사장님의 눈을 피해 다녔다.

"나도 네팔에서 사장이었어! 노래 이제 그만하고 싶어."

요컨대, 〈레썸 삐리리〉는 잊을 수 없는 제목처럼 입과 귀에 착 붙는 노래였다. 까르상이 말하길, 한국의 〈아리랑〉과 같은 노래라고 했다. 우리는 이 흥겨운 리듬을 따라 열무를 자르고, 배추를 다듬고, 알타리를 자르고, 정말 많은 걸 했다. 레썸 빼라리, 레썸 삐라리 등 한국 직원들의 입에서 그때그때 제목은 바뀌었지만 가사의 뜻은 이렇다.

바람아, 멀리 있는 내 사랑에게
내 마음을 전해다오.

나의 외국인 친구들도 이 사상 초유의 사태 앞에서 얼마나 막막했을까. 저 먼 가족들에게 나는 괜찮다고 말하며, 아픈 곳 없이 괜찮다고 말하면서도, 당장 어떻게 될지 모르는 앞날을 생각하며 이 노래를 부를 때 얼마나 애끓었을까.

코로나 끝 무렵, 우리 엄마와 수딥네 엄마가 나눈 영상 통화가 떠오른다. 서로의 언어로 '안녕'을 말하며 기도하는 손만 여러 번 주고받던 모습이. 그 시절을 나는 사람들의 마음은 모두 한 가지였겠지.

모두가 안녕하기를.
멀리 있는 우리의 사랑에게
우리의 마음이 전해지기를.
그리운 가족이든, 두고 온 내 님이든,
어딘가 계신 나의 고객님이든.

시상식은 없어요

좋은 마음이 배신당하는 때. 그 순간은 쉽게 잊을 수 없을 것이다.

작년 겨울, 엄마가 그랬다. 엄마에게는 작년 한 해가 무척 힘들었다. 코로나 집단 감염으로 공장이 한 달간 정상 영업을 하지 못했고, 그로 인해 수매한 배추와 무를 그냥 다 갖다 버려야 했다. 저장했던 무가 썩어 쓰레기를 치우느라 또 큰 돈이 들었고, 창고를 세척하는 데에도 큰 시간과 비용이 들었다. 그 냄새 때문에 민원도 많이 받았다.

그렇게 힘든 한 해를 보내고도, 나름의 좋은 일이 생겨 많은 축하를 받아서 사장님은 기쁨을 나누고 싶었다. 코로나로 예년만큼 성대한 종무식은 하지 못해도 조촐한 기념식에서 고생한 직원들의 포상도 할 예정이었다. 그런데 그날 오전에 사무실 직원 한 분이 여태껏 거짓으로 장부를 작성한 일이 밝혀졌다. 별문제 될 일이 아닌 걸 여태 허위로 작성하는 바람에 사장님은 전혀 다른 사실을 보고받아 왔고, 그 사실을 하필 그날 알게 된 것이다. 다른 직원들은 그 사실을 알았지만, 아무도 사장님께 보고드리지는 않았고 그래서 사장님만 항상 엉뚱한 이야기를 해오고, 엉뚱한 돈을 써왔던 거다. 사장님은 당연히 대노했다. 그런 와중에도 총무팀은 확인해야 할 질문을 했다.

"사장님, 오늘 종무식은…."

"예정대로 하세요! 시상식은 없어요!"

그렇게 모두에게 돌아갈 예정이었던 포상 선물은 창고에 그대로 두게 되었다. 믿음을 무너뜨린 그 작은 계기 하나 때문에.

나도 이제 안다. 사람의 선의에 항상 보답을 바라기는 어렵지만, 좋은 마음이 배신당하는 때 마음이라는 작은 공이 어디까지 튕겨 나갈 수 있는지를.

좋아하는 친구가 작은 전시회를 열게 되었다. 나도 김치 회사로 이직해 오면서 여러 가지 시도를 해보고 싶었던 때라, 전시회에 방문한 사람들에게 그 고장 특산물로 만든 김치를 주면 어떻겠냐는 제안을 했었다. 친구와 이런저런 회의 끝에, 전시회 캠프파이어에서 사용할 캠핑 김치를 나눠주는 것으로 매듭이 지어졌다.

그렇게 친구네에서 쓸 김치 80개를 만들어 택배로 보냈다. 하나하나 작은 통에 담아 포장하느라 그날 생산팀의 불만이 대단했다. 손이 많이 가는 제품이었다. 그렇게 보낸 택배가 여섯 박스였다.

뼈까지 스미는 추위. 멋진 전시에 우리 김치가 누를 끼치지는 건 아닐까 떨리는 마음을 안고 전시장에 들어섰다. 어느 곳에도 우리 김치의 흔적은 없었다. 나라도 그럴 거야. 멋진 전시에 김치는 안 어울리니까. 김치는 캠프파이어를 할 수 있는 문 바깥 공간에 있다고 했다. 문을 열고 나갔는데, 김치는 아무런 안내 없이 내가 보낸 아이스박스 속에 그대로 들어 있었다.

어디 가서 무시당하는 제 새끼를 본 부모의 마음이 이럴까. 아무리 못난 자식이라도, 귀한 대접은 못 받아도 어디에 끼지 못하고 쭈뼛대는 제 새끼를 보면 이렇게 억장이 무너질 것이다. 김치 80통이 누구의 관심도 끌지 못한 채 눈을 맞고 있었다. 나는 그 전시회의 불청객이 되어, 김치를 나서서 나눠주지도 못하고, 어떻게 불만을 말하지도 못하고 소심한 호구의 모습 그대로 망설이다가 전시장을 나섰다.

친구에게서 고맙다는 문자가 왔지만, 그 말이 눈에 잘 들어오질 않았다. 나누어 '졌을' 리가 없다는 예감이 들었다. 그래서 그날 아침, 엄마가 며칠 공들여 포상을 준비했던 시상식을 일거에 없앤 그 마음을 알 수 있었다. 내가 보낸 좋은 마음들이 그렇게 눈밭에 남겨졌던 것처럼, 직원들을 향한 엄마의 작은 마음도 거짓 장부로 허망하게 돌아왔던 것이니까.

전시회에 김치를 제안한 건 내 불찰이었다. 누가 전시회를 보러 가서 냄새나는 김치 선물 따위를 받고 싶을까. 맞는 자리를 찾아가지 못한 내 잘못이었다. 선의에도 맞는 자리가 있다는 것을 그때 깨달았다. 그 눈밭의 김치 박스는 지금도 트라우마처럼 내 마음 안에 남아서 시시때때로 나를 검열한다. 여기는 어울리는 자리일까. 무시당하지 않을 자리인가. 존중받을 수 있는 곳에 존재하는 것, 존중을 구걸하지 않고도 그저 존중받을 수 있는 자리에 서는 것에 대해 생각한다.

치마만다 응고지 아디치에의 소설에서 여주인공의 어머니는 누군가에게 호의를 받으면 이렇게 말한다.

다른 사람도 너한테 이렇게 하기를 바란다.

다른 사람도 너한테 이렇게 했으면 해.

– 치마만다 응고지 아디치에, 『태양은 노랗게 타오른다』, 민음사(2010, 김옥수 옮김)

나에게 베푼 이 호의가 나에게서 끝나지 않고 다시 너에게 돌아가길 바란다는 기원. 이 기원은 내가 보낸 것이 다시 나에게 돌아온다는 점에서 어쩐지 무겁지만, 누군가의 마음을 받거나 마음을 보내야 할 때 나는 항상 이 축복을 외운다.

"남도 너한테 이렇게 하기를 바란다.
남도 너한테 이렇게 했으면 해."

아반떼 크로니클

"야, 너는 공장 와서 사람 됐다."

엄마를 태우고 홈쇼핑에 오갈 때 보조석의 엄마는 새삼스레 말하곤 한다.

"넌 절대 운전 안 한다며."

주차 자리 찾느라 애먹었다고 너스레를 떨면 아빠가 놀린다. 자율 주행차가 나올 때까지 기다리려고 했는데, 살아보니 남들이 다 하는 일에는 그만 한 보상이 따르는 것 같다. 요새는 운전을 안 하고 어떻게 살았나 싶다.

유난히 힘든 퇴근길, 음악 볼륨을 한껏 키우며 운전하면 고단함이 씻겨 내려가는 기분이 든다. 그럴 땐 내가 판에 그린 듯한 30대 여성 직장인 같아 웃다가도 울고 만다. 왜냐면 내가 모는 차는 360도 그 어느 곳도 성한 데가 없는 찌그러진 빨간색 아반떼이기 때문이다.

운전 연수를 3회째 받은 어느 저녁, 바로 오늘이란 생각이 들었다. 오늘, 차를 몰고 퇴근하자. A4용지에 '초보'라고 크게 적어 차창 걸면에 붙여두니 대리님이 말씀하셨다.

"어? 저거 안쪽에 붙여야 되는 거 아닌가?"

"걸에 붙여야 아주 극한의 쌩초보 같잖아요."

옆에 있던 이사님이 말씀하셨다.

"저거 내가 몰던 차인 거 알지?"

"아뇨?!"

"내가 예전에 이 차에다 홈쇼핑 방송 재료 다 싣고 다니고, 군포에서 출퇴근도 하면서, 울기도 엄청 울었지. 사장님한테 혼나고 울고, 영양사들한테 숙성도 안 맞는다고 욕먹고 울고…. 자기는 울지마."

아니, 이사님이 처음 이 회사 오셨을 때면 8년 전인데….

"그래, 나 와서 뽑아주신 거야. 저 차가 원래 내 차였어."

그 뒤로 나는 핸들을 잡은 채로 눈물 떨굴 일이 있으면, 꼭 8년 어린 조 이사님의 눈물 흘리는 모습이 타임랩스 영상처럼 떠오른다. 이사님도 음악 볼륨을 한껏 키우고 우셨을까.

어느 저녁엔 가나와 게게를 파주역까지 데려다주는데 가나가 말했다.

"여기, 최 팀장님은 4분 만에 와요."

"에이, 거짓말!"

"아니 진짜. 11시 10분에 공장 나와서 11시 17분 차 탔어요."

그 후로 나는 공장 – 파주역 간, 나의 운행 시간을 재보았는데 아무리 해도 10분 밑으로는 떨어지지 않았다. 그래서 최 팀장님 본인에게 진위를 확인하다가 또 충격적인 사실을 알았다.

"아, 그거. 진짜예요."

"와, 차가 좋으니까 4분이 되나 봐. 저는 절대 10분 밑으로는 안 떨어지던데."

"어, 그거 부삼 몰고 다니는 그 아반떼로 한 건데. 원래는 그 차 제가 몰고 다녔었거든요."

그런데 더 놀라운 것은 여기서 끝이 아니었다는 것이다. 반장님들을 퇴근시켜 드리는데, 현 반장님이 말씀하셨다.

"부사장님 차 몰고 다니시는 건 괜찮아요?"

"익숙해지니까 재밌어요."

"아니, 차가 괜찮은가 하고. 제가 이 차 몰고 다녔었거든요. 근데 그때는 막 소리가 나더라고."

"아니! 반장님도 이 차를 몰고 다니셨어요?"

“네에~ 저도 탔었죠?”

와, 이 말까지 듣고 나니 이 작은 아반떼가 갑자기 너무 소중해지지 않겠는가. 조 이사님이 몰던 차를 최 팀장님이 몰고, 현 반장님이 몰다가 잠깐 주인이 없었다가, 이제는 내 차례구나. 앞 범퍼는 박 기사님이 박았고, 여기 문짝은 이 부장님이 한 거고…. 이 아반떼는 한 권의 브랜드 북이었다.

심지어는 이 차로 운전 연수를 받을 때 만난 연수 선생님까지도.

“어? 여기가 회사예요?”

알고 보니 급식 납품을 오래 하셨던 분인 거다.

“나 여기 김치 먹다가 안 먹는데.”

“아니 왜요?!”

선생님이 학교 급식 납품 기사직을 하던 시절, 학교 급식에 쓰이는 물건들의 품질이나 위생 상태가 월등한 것을 알게 되었고, 우리 회사 제품이 자주 보여 줄곧 시켜 먹었는데, 어느 날인가부터 맛이 변한 것 같아 안 먹게 됐다고■.

■ 그래서 선생님껜 바로 김치를 선물 드렸다. 선생님, 이제 다시 우리 김치 드시고 계시죠?

이 8년 된 아반떼는 주행거리가 16만 킬로미터다. 굽이굽이마다 얼마나 구구절절한 사연이 더 있을까. 이제는 나도 운전에 익숙해져서 이 작은 차로 배달도 하고, 홈쇼핑도 가고, 지난번에는 부장님과 과장님을 모시고 멀리 수원으로 이사님 결혼식에도 다녀왔다. 때로는 조 이사님이 그러셨던 것처럼 차를 세워두고 한참을 울기도 하고, 핸즈프리 통화로 거래처와 싸우기도 하고.

강 팀장님이나 최 팀장님은 이제 새 차 하나 뽑아야지 않겠냐고 물어보시기도 하지만, 글쎄요. 저는 열선시트도, 후방카메라도 없고, 스마트키도 아닌 이 차가 너무 좋네요■.

■ 슬프게도 아반떼는 이 원고를 쓰고 얼마 되지 않아 홈쇼핑에서 견인되었다. 엔진 오일이 자꾸 새기 때문인데, 이제 이 차로 파주-서울 정도의 장거리 주행은 위험하다는 판정을 받았다. 나와 함께 16만을 찍고, 17만을 찍고 18만을 향해 달려가던 차인데, 너무 아쉽다.

엄마를 사랑하는 일

자식이 부모를 사랑하는 것은 당연하지 않다. 다 큰 자녀들이 숨 쉬듯 자연스럽게 부모를 사랑한다면, 그것은 수도 없이 많은 행운 위에 만들어진 행복이다. 나는 엄마를 사랑한다. 그치만 엄마를 사랑하는 일이 가끔씩은 버겁다. 나의 그릇을 항상 넘쳐야 하는 일이다. 사업하는 엄마를 사랑하기 위해 나는 나 자신을 추스르는 법을 먼저 배워야 했다. 나와 내 동생 나름의 아픔을 돌보면서도, 엄마를 따뜻한 눈으로 바라볼 수 있어야 했다.

퇴사 한참 전인 4년 전쯤 9월이었나, 아침에 깨어보니 엄마에게서 문자가 와 있었다.

06:47

주소를 물어본 건 제주에서 편지 써서 부치고 떠날려고 한 건데 김샜어 첫 줄에 잠이 덜컥 깼나. 그래서 물어봤구나. 이틀 전 엄마가 하도 집요하게 주소를 물어보길래 자취방에 찾아올까 봐 짜증만 냈던 터였다. 이어지는 문자를 읽은 뒤엔 나도 모르게 한숨이 나왔다. 감히 울 수도 없고, 뭐라 답하기도 어려워서.

> 언제나 제주는 설레는 맘으로 왔다 아쉬움 많이 남기고 떠나는 곳이야. 하지만 마음속에 따뜻함과 서글픔과 많은 사연들이 고여 있는 곳이야.
> 혼자 오는 제주는 옛날에 등록금 못 내서 전학 서류을 못하고 바다을 보는데, 까만 바위에 하얀 파도가 부서지는 걸 보면서 쓸쓸했지만 굳게굳게 다짐했어 꼬옥 성공하자~~ 근데 지금 성공이 눈앞에 보이고 있어 그 세월이 40년이네~~
> 혼자 마음껏 생각하고 마음껏 바라보고~ 어제 유람선도 혼자 타고 노래 서귀포를 아시나요 불렀다~

혼자 떠난 여행. (그렇게 두는, 참 정도 멋도 없는 딸이다.) 성산 앞바다 유람선에서 혼자 노래를 부르는 중년의 여자. 단체 관광객들로 북적이는 가운데, 엄마 혼자 조미미의 <서귀포를 아시나요>를 부르는 모습. 이 장면의 정서는 분명 슬픔일

밀~감 향기~
풍겨오는
가고 싶은
내~ 고향

것이다. 그런데 노래를 찾아 들어보니 리듬이 너무 명랑한 것이다. 당황스러움과 슬픔이 팽팽히 싸우던 차에 나는 결국 우는 쪽을 택했다. 이어지는 가사 때문에.

> 밀감 향기 풍겨오는 가고 싶은 내 고향
> 칠백 리 바다 건너 서귀포를 아시나요
> 동백꽃 송이처럼 예쁘게 핀 비바리들
> 콧노래도 흥겨웁게 미역 따고 밀감 따는
> 그리운 내 고향 서귀포를 아시나요
>
> – 조미미, 〈서귀포를 아시나요〉

엄마는 서귀포에서 자랐고, 열네 살에 섬에서 나왔다. 육지에서 이날 이때껏, 엄마는 저 혼자 자기를 길러냈다. 결혼도 하고, 가정도 꾸리고, 사업도 시작했다. 그러곤 외할아버지가 돌아가실 때도 제주도에 가지 않았다. 너희 엄마 진짜 독하다며 아빠만 다녀왔다. 외할아버지가 돌아가실 때도 엄마는 공장을 비울 수가 없었다. 엄마는 그렇게 절박하게 공장을 운영했다.

40년 전, 외할아버지의 사업 실패로 외할머니가 홧병으로 돌아가시고, 엄마는 안 해본 일이 없었다. 국민학교 같은 반 친구들이 도시락을 싸 올 때, 엄마는 먹을 게 없어 밖에서 우두커니 서 있다 들어갔다고 했다. 그 모습을 본 친구가 저희 엄마에게 부탁해 매번 엄마 몫까지 도시락을 하나 더 챙겼다고 했다. 그리고 열네 살의 엄마는 십 원 한 장 없이 칠백리 바다를 건넜다. '제주' 하면 고통밖에 떠오르지 않을 것 같은 데도, 엄마는 평생 제주가 그리웠구나. 중학교도 못 간 그 어린 게 고향이 얼마나 얼마나 그리웠으면. 집 앞의 귤나무가, 친구들이, 학교가, 그 바다가 얼마나 사무쳤으면.

"돌아갈 수 있다면 언제로 돌아가고 싶으세요?"

〈꽃보다 할배 리턴즈〉에서 배우 김용건 씨를 펑펑 울게 만든 질문. 방송 내내 유쾌한 캐릭터였던 그가 울어서 화제가 되었던 장면. 김용건 씨는 이렇게 대답했었다.

"다시 태어나고 싶어."

나는 어쭙잖게도 그 마음이 이해될 것만 같았다. 엄마에게도 언제로 돌아가고 싶냐고 물어본다면, 분명 다시 태어나고 싶다고 했을 것만 같아서*.

“젖을 제대로 먹든지, 분유를 먹든지, 뭐 이유식을 하든지 그런 혜택을 못 받았잖아요… 뭐 나뿐만이 아니라… 그냥 남들처럼 평범하게….”

젖을 먹는 것이 ‘혜택’이었던 세대.

이유식 하나, 가방 하나, 신부 입장할 때 손잡아 주는 것 하나, 그 어느 하나 받지 못한 엄마. 부모로부터 평범한 혜택 하나 받아본 적이 없어, 사랑을 주는 것도 영 서투른 엄마. ‘읍니다’가 ‘습니다’로 바뀐 게 언젠데, 아직도 ‘를’자를 ‘을’자로 다 틀리게 쓰는 우리 엄마. 그러고도 혼자 탄 유람선에서 꿋꿋하게 노래를 부를 줄 아는 사람. 어떻게 저런 일을 다 하나 싶은 대단한 사람. 그 모든 걸 다 겪고도 계속해서 살아가는 사람. 지금 이 생을 끝내 포기하지 않는 사람.

나는 엄마가 여지껏 살아 있는 것만으로도, 오직 이것만으로도 자식에게 가르칠 모든 것을 가르쳤다고 생각한다.

지난주엔 제주도에 다녀왔다. 이번에도 엄마랑 같이 간 건 아니었으니, 참 멋도 없고 정도 없는 딸이다. 엄마가 바다를 건너온 게 어느 계절인지 모르겠지만, 까만 바위에 하얀 파도가 부서지는 걸 보면서 문득 엄마 생각이 났다.

다시 태어난다면 엄마의 친한 친구가 되고 싶다고. 그냥 무조건 응원할 수 있는 그런 친구로. 엄마 같은 딸, 나는 못 키울 테니까. 이렇게 크고 넓은 사람은 나같이 작은 사람이 못 키울 테니까. 곁에서 맘껏 울어도 되는 친구가 되어 꿋꿋이 걸어나가는 그녀의 등을 토닥이며, 너 참 잘하고 있다 말해줄 수 있는 동갑내기가 좋겠다고, 겨울 제주에 빌었다.

얀서에게 보내는 편지

"아~ 팀장님이 우리 원재구나."

엄마는 나의 첫 회사를 어디서고 자랑했다. 친척들은 물론이요, 만나는 거래처들까지. 어디를 가든 엄마를 아는 사람들은 내 소속도 잘 알았다. 어쩐지 동생들에겐 미안했다. 세 자매 중에 제일기획에 들어간 '우리' 원재는 나 하나였으니까.

엄마의 공장으로 들어온 뒤, 엄마의 자랑 스케일에 더 놀라게 됐다. 생산 여사님, 외국인들부터 기업인 모임 사장님들, 심지어는 홈쇼핑 MD님, 팀장님들까지 다들 '아, 당신이 우리 원재군요' 하는 눈빛으로 "말씀 많이 들었습니다" 하며 웃으신다. 정말 쥐구멍에라도 숨고 싶다.

엄마의 자랑에는 예전 회사도 많은 힘을 보탰다. 신입사원 연수를 마치자 회사에선 집으로 꽃다발을 보냈다. '귀한 인재를 회사에 보내주셔서 감사합니다'라는 문구와 함께. 대리로 진급했을 때에도 어김없이 꽃다발이 들이닥쳤다. 어쩐지, 엄마에겐 말도 안 했는데 승진했냐는 전화가 먼저 오더라니. 차장이 되자, 이제 원재 씨는 우리 회사의 간부가 되었다며 더 큰 꽃바구니와 함께 감사 편지가 도착했다.

가끔 우리 공장의 젊은 품질팀 직원이 소개팅 자리에 나간 어느 날을 떠올린다. 그가 자랑스럽게 "저는 ○○○ 식품 다닙니다"라고 말할 수 있을까. 아마도, 그냥 "식품 회사 다녀요", 조금 더 나아간다면 어떤 식품이냐는 상대방의 질문에 "김치요" 정도로 대충 얼버무리지 않을까.

우리 공장의 식구들이 친척들이나 친구들과 오랜만에 어울리는 어느 날을 생각해 본다. 날마다 하는 일을 입에 올리는 순간이 그분들을 위축되게 만들지 않기를 바란다. 소속을 자랑스럽게까지 말하진 못해도, 모두에게 떳떳한 밥벌이가 되었으면 좋겠다.

아이들은 부모의 일을 궁금해하며 어른이 된다. 그리고 부모가 자랑할 수 있는 직업을 갖는 것이 어른이 되는 관문의 일부인 것처럼 여기며 성장한다. 나는 우리 회사가 자녀에게도, 부모에게도, 연인과 친구에게도 당당히 말할 수 있는 곳이 되었으면 좋겠다.

영업 부장님이나 생산 팀장님과 이야기할 때면 그분들의 뒤로 자녀들이 겹쳐 보일 때가 있다. 우리 회사에는 두 명의 윤서 학부형이 있다. 생산 팀장님은 윤서 아버님이고, 영업 부장님은 윤서 어머님이다. 두 분이 부부인 건 아니고, 우연히도 두 분의 큰딸 이름이 모두 '윤서'다.

어설픈 부사장이 회사의 운영을 바라보고 있으면, 마치 '윤서야'로 시작되는 긴 편지를 쓰는 기분이다. 나는 윤서의 어머니와 윤서의 아버지를 보며 매일매일 놀란다. 이분들의 하루를 윤서에게 전하고 싶다. 꾸역꾸역 밀려드는 주문들을 어떻게 매일 남김없이 해결하는지, 예상치 못한 거래처의 클레임에 얼마나 유연하게 대응하는지, 행여 상처를 입는 날에는 얼마나 씩씩하게 견뎌내는지, 그 모습을 볼 때 내가 얼마나 많은 것을 배우게 되는지.

윤서의 어머니와 아버지뿐만이 아니다. 공장장님의 따님께는 그분이 얼마나 매서운 눈빛으로 온갖 공정들을 관리하시는지, 지게차는 또 얼마나 멋지게 운전하시는지를, 출고 과장님의 가족분들께는 비가 오는 날에도 그분이 얼마나 밝게 웃으면서 일을 하시는지, 그러면서도 회사의 어른으로서 여러 갈등이 벌어질 때마다 얼마나 지혜롭게 해결해 주시는지, 송 부장님의 아드님께는 엄마가 얼마나 어려운 문제들과 곤란한 전화들을 능숙하고 강단 있게 헤쳐나가는지, 저 먼 네팔의 바타와 타파, 수딥의 아내분들에게는 여러분의 가족이 이 먼 곳에서 얼마나 큰 역할을 해내고 있는지, 그렇게 해서 만든 김치가 얼마나 맛있는지, 얼마나 많은 사람이 이 김치를 먹고 있는지를 알려주고 싶다.

이 회사는 보잘것없지만, 회사 속의 '여러분'은 얼마나 대단하고 멋진지 모른다. 앞으로 내가 부사장으로서 제시해야 하는 비전이 있다면, 그건 이곳이 당신의 가족에 걸맞는 회사가 되기 위해 얼마나 노력하는지 보여주는 게 아닐까 싶다.

어느 기업인 모임에 갔을 때 자기소개와 함께 오늘 만남의 소감을 말할 차례가 되었다. 나는 이렇게 말했다.

"오늘 와서 보니, 우리 동네에 이렇게 멋진 회사들이 많았네요. 상품권을 만드는 회사나, 첨단 소재를 만드는 회사들이 우리 동네에도 이렇게 많은데, 사람들은 모르잖아요. 저 취준생 시절에는 이렇게 다닐 만한 회사가 우리 동네에도 있는 줄 전혀 몰랐어요. 우리 지역은 그냥 낙후됐다고만 생각했거든요. 이렇게 멋진 회사들이 근처에 있다는 걸 알았다면, 이 동네가 더 근사해 보였을 텐데, 그런 생각이 들어서 아쉬웠어요."

그리고 어색한 적막이 흘렀다. 그 자리에서 적당한 말은 "모임의 발전을 위해 뼈를 묻겠습니다!" 정도였다. 세상 물정도 참 모르지.

멋진 회사들이 있어서 뉴욕의 젊은이들에게 힘이 생긴다. 힙한 회사들이 있기에 포틀랜드가 힙한 도시로 자리매김했다. 회사는 누군가의 자아를 이루는 수단이 되지는 못한다. 그러나 누군가의 자존감을 단단히 지탱할 수는 있다. 내가 '무엇'으로 '어떻게' 일해서 먹고 사느냐의 문제니까. 좋은 회사가 많아질수록 사람들의 매일이 단단해진다고 믿는다.

이놈의 회사 그만둘 거야, 그 말이 이제 내게는 대단한 권력으로 들린다. 나는 절대 할 수 없는 말이니까. 나는 우리 회사를 오오~래 다녀야 한다. 죽을 때까지 다녀야 할 수도 있다. 이 오래 있고 싶은 마음이 내 옆에 앉아계신 동료들의 마음에도 생겨났음 좋겠다. 1년 차 부사장의 목표는 그런 회사다. 다닐 만한 회사로 멈추고 싶지 않은, 다니고 싶은 회사.

미래의 자기에게 양보야

영업부, 조 이사님 이야기

겨울비가 진눈깨비로 바뀌던 날, 그날 오후엔 용인급식센터 PT가 있었다. 파주에서 용인까지 가야 하는데 초짜 사무직인 나는 오전 업무를 빨리 끝내지 못했다. '앗' 하는 사이에 이사님과 약속한 출발 시간을 30분이나 넘겼다.

나 이사님! 이제 가요, 죄송해요. 늦으면 어떡해요.

조이 걱정하지 마, 딱지 몇 개 뗄 건데, 그것만 자기가 내.

나 어유, 제가 다 낼게요.

조이 서류는 다 챙겼지?

내가 서류를 들어 보이자, 이사님이 바로 액셀을 밟으신다.

금세 유료 도로로 진입한 이사님이 날렵하게 차를 몬다.

나 와, 이사님. 저 다음 주부터 연수받는데, 이사님처럼은 운전 못할 것 같아요.

조이 왜 못해. 자기는 나보다 잘할 거야.

나 그럴 리가 없어요. 운전 너무 무서워요.

조이 운전은 대범할 땐 대범해야 하거든. 그것만 잘하면 돼. 나는 운전을 영업으로 배워서, 어디 늦으면 죽는 줄 알았거든. 약속이 다 돈이고 신뢴데, 그걸 늦으면서 시작하면 어떡해. 그렇게 운전을 배워서 나는 운전이 좀 거칠지. 그러니까, 알겠지? 자기는 이렇게 하면 안 돼. 출발을 일찍 하는 거야.

나 죄송해요. 다음엔 꼭 일찍 출발할게요.

어느덧 인터체인지를 하나 돌아 나간다.

나 내년 이맘때쯤엔 제가 차를 몰고 용인까지 갈 수 있을까요?

조이 그럼. 천천히 연습하면 다 되지.

그때 옆 차선에서 끼어들지 못하고 헤매는 차가 보인다. 선행 차량들은 아무도 비켜주지 않는데, 이사님이 액셀에서 발을 떼신다. 우리 차의 속도가 줄고, 초보 차량이 힘을 얻어 차 머리를 천천히 우리 쪽 차선으로 들이민다. 이윽고 고맙다는 표시로 깜빡이를 켠다.

조이 이거 내가 저 사람한테 양보한 거 아니다?
나 그럼요?
조이 자기한테 양보한 거야. 미래의 자기한테. 나중에 우리 부사장 못 끼어들어서 쩔쩔맬까 봐 미리 양보해 준 거야.
나 세상에! 감사해요. 도로에 다 이사님 같은 분만 있으면 좋겠다.
조이 아이고, 나 같은 사람이 좀 드물어야지.

깔깔 웃다가

나 저는 사장님이나 이사님이 여고나 여중 가서 강의하시면 좋겠어요.
조이 왜?

나　두 분 보면 멋지잖아요. 저는 여자애들은 멋진 여자들을 진짜 많이 보고 자라야 한다고 생각하거든요. 근데 멋진 여자들을 맨날 멀리서만 찾잖아요. 여자 대통령이나 여자 정치인 같은 사람. 근데 두 분 보면서 내 옆에 이렇게 멋진 여자들이 있구나 싶었거든요. 무엇이든 다 해내실 것 같고.

조이　아이고, 그게 거저 됐겠어요, 부사장님? 사장님이랑 내가 얼마나 노력하고, 또 무서웠는데.

나　사장님이랑 일하기 힘드시죠?

조이　당연하지! 근데 힘들기만 하면 내가 군포에서 여기까지 출근할까. 나도 다 계산하는 사람이야. 나는 사장님이랑 일하는 게 재밌어. 사장님은 내가 뭐 하려고 하면 하게 두시잖아. 내가 일 욕심이 지이인짜 많은데, 욕심도 서로 마음이 맞아야 부릴 수 있거든. 내가 욕심내는 만큼 사장님은 그 배로 욕심내시니까, 내가 생각한 것보다 더 멀리 가시니까 나는 재밌지. 사장님이랑 우리 처음에 홈쇼핑 할 때도 그랬어.

사장님은 영업하는 사람을 재미있게 해줘. 나가면 신나서 팔 수 있게끔 해주시잖아. 나는 그게 참 좋았어.

나 그때가 우리 공장 제일 힘들 때였잖아요.

조이 그랬지. 별일이 다 있었지. 사장님은 맨날 포기 싸나가 얼굴에 묻은 양념만 대충 씻고 방송하러 나가시고, 방송하고 돌아오셔서 또 포기 싸시고. 그때는 진짜 사장님 보기가 안쓰러웠어. 우리가 홈쇼핑 한 번 방송해서 김치를 만 삼천 개, 만 육천 개 팔았댔잖아. 그때 새벽 1시까지 김치를 하는데, 아니 그 밤따라 하필 날벼락이 친 거야.

나 날벼락이요?

조이 그래, 진짜 벼락이 떨어졌지 뭐야. 공장 옆 전신주가 벼락을 맞는 바람에 전기가 나가서, 순식간에 껌껌해졌지. 포기 싸던 사람들이 다 어둠 속에서 어찌할 바를 모르고. 어휴, 내가 그때 우왕좌왕하다 넘어져서 작업대에 손이 찍혔는데, 내가 그 말을 사장님한테는 차마 못 하겠더라고. 불이 겨우 들어오고 사장님 얼굴 보는데 아무 말이 안 나오더라. 나 손 다친 거 알면 또 사장님

속이 얼마나 상하겠어. 김치 나가는 것도 걱정인데, 나까지 걱정 끼치기가 싫었지. 우리는 그렇게 무식하게 했다, 사장님이랑 나는.

나 저는 그렇게 못할 것 같아요.

조이 그러니까, 사장님이랑 나는 맨날 그래. 우리는 무식하니까 했다고. 사장님은 조폭이랑도 싸웠어. 자기 그거 모르지?

나 엄마가 그런 얘긴 안 하던데.

조이 어휴, 사장님 대단하셨어. 사장님이 그 조폭 같은 애들도 무 넣는 쇠봉 하나 가지고 다 물리치셨어. 사장님이 그런 힘이 있으니까 나는 그거 믿는 거야.

나 그래도 사장님한테 혼나실 땐 속상하잖아요.

조이 속상할 때도 있지. 가끔은 진짜 그만둔다, 하고 차 몰고 둑방 길로 나갔지. 그쯤 가 있으면, 사장님이 "어디예요!" 하고 전화를 하셔. 그럼 내가 "둑방 길이요!" 대답하고, 사장님이 "빨리 돌아와요!" 하면 나는 또 울면서도 사무실로 돌아갔다? 그러고 사무실에서 사장님이랑 둘이 울면서도 또 다음 방송 준비하고 그랬네. 참, 지금이니까 웃지.

마음 한편이 허물어지는 것 같다. 여자들이 일하는 방식은 분명 남자들의 것과는 다르다. 여자들은 함께 눈물을 흘리며 단단해진다. 약해서 흘리는 게 아니다. 단단해지기 위해 눈물을 흘린다. 키가 160센티미터도 안 되는 두 여자가 서로를 격려하며 여러 가지 일을 해냈다. 누군가 보기엔 너무 작은 성취, 별것 아닌 일들. 그러나 나에겐 두 분이 걸어간 길이 너무 아득해서 가끔은 두 분의 옛날 일을 듣는 것만으로도 힘이 된다. 모든 길에는 끝이 있다고.

나 어, 벌써 용인이네요?

조이 거봐. 내가 안 늦는다 했지?

나 와, 예상 도착 시간보다 30분 당겼어요.

조이 밥 먹고 오면 딱 되겠다. 딱지 오면 꼭 자기가 내? 회삿돈 말고 자기 돈으로?

나 아이, 그럼요.

딱지는 한 장도 날아오지 않았다. 그래도 그날 먹은 국밥과 이사님과의 대화는 오래도록 마음에 남아 있다. 나는 참 멋진 여자들의 뒤를 따라 걷고 있다.

나갑니다

누가 바람 없는 바다를 항해할 수 있겠는가

'시간에 의해 쟁취해 낸 것은

시간이 증명해 줄 것'이라는

믿음이 있기 때문입니다.

– 무라카미 하루키, 『직업으로서의 소설가』,

현대문학(2016, 양윤옥 옮김)

조 이사님은 우리 회사를 5년 다니고 그만두셨다. 그리고 작년에 다시 돌아오셨다. 그 사이의 곡절이야 말해 무엇 하랴. 사장님과 이사님은 나이 차이도 얼마 안 나서 꼭 고등학교 친구처럼 지내신다. 서로 의지를 많이 하지만 그래서 싸우기도 쉬운 친구. 나와 내 친구들의 성공적인 미래 편 같아서일까, 두 분의 '라떼'는 마셔도 마셔도 질리지가 않는다.

"두 모녀가 나를 내려다보면서 인사하는데, 아주 눈물 나 죽을 뻔했어!"

나와 사장님이 코로나 때 공장에 갇혀 살던 때에도, 이사님은 군포에서 이 먼 파주까지 매일 같이 왔다 가셨다. 우리 둘이 울다 까무러치지는 않았나 걱정이 되셨단다. 사장님이 먹을 게 차마 안 넘어갈 때 이사님은 막걸리를 따라주셨고, 사장님이 깻잎을 따자 하면 이사님은 함께 따주셨고, 그 깻잎을 씻자 하면 씻으셨고, 그러고도 발걸음이 차마 안 떨어져서 생산이 돌아갈 때보다도 한참 늦은 저물녘에야 겨우 떠나는 차에 시동을 거셨다. 그러고도 한참이 지난 지금도, 이사님은 우리 모녀가 떠나는 자기를 보며 힘없이 인사할 때 마음이 참 아팠다는 말씀을 하시는 것이다.

사장님과 이사님은 처음에 라이벌로 만났다. 어느 지역 급식 업체 선정 PT 때였는데, 그때 사장님은 '아, 저런 직원 한 명만 있으면 참 좋겠다' 생각했고, 이사님은 '아, 저 사람 한 번 참 도와주고 싶다' 생각하셨다고. 그 이후의 곡절이야, 또 말해 무엇 하랴.

이사님이 우리 회사로 와서 무엇을 하려고만 하면 기존 직원들이 일 벌이지 말라고 싫어했던 일. 홈쇼핑 섭외 전화가 공장 사무실로 걸려와 두 분의 가슴이 콩닥거린 일. 상품 선정 심의회에서 어떻게든 쫀 티를 내지 않으려고 한껏 어깨에 힘을 주었던 일. 홈쇼핑 첫 방송에 효율이 잘 나오게 하려고 친구들이며 지인들을 모두 끌어모아 전화하게 했던 일. 지금은 1톤 차에 싣고 다니는 온갖 방송 재료들을 콩알만 한 아반떼에 혼자 실어다 날랐던 일. 그러다 공장을 나가는 둑방 길에 가끔은 차를 세워두고 엉엉 울었던 일. 억울하고 기막혔던 그 이야기들을 들으며 웃을 수 있는 건, 모두 과거의 일이 되었고, 그날보다 조금은 더 나아진 오늘이 있기 때문이다.

홈쇼핑을 마치고 혼자 집에 돌아오는 어느 밤이었다. 이런 저런 실수를 많이 해서 혼난 뒤라 의기소침해 있었다. 할 것은 많고, 잘하는 건 없고. 언제나처럼 당장 해낼 수 있는 것도 없이 마음만 부산했다. 그런데 라디오에서 어떤 노래가 나왔다. 익숙한 곡이었는데, DJ가 곡의 제목을 말했다.

"누가 바람 없는 바다를 항해할 수 있겠는가."

나를 죽이지 않는 고통은 모두 나를 강하게 만든다고 했다. 그건 엄마를 보면 알 수 있다. 세월이 모두를 성숙하게 하는 것은 아니지만, 엄마를 보면 분명 세월에는 힘이 있다. 엄마는 사업을 시작하기 전의 엄마보다 더 멋지고 더 빛난다. 엄마는 한 인터뷰에서 그런 말을 한 적 있다. 사업을 한다는 건 정말 멋진 일이라고. 하나의 세계를 일으키고 그걸 유지하면서 정말 모든 것을 배운다고. 돈부터 사람까지. 그러니 모두들 한 번쯤 이 힘든 일, 도전해 봤으면 좋겠다고.

나는 아직 엄두가 나지 않지만, 두 분의 커다란 등을 바라보며 천천히 따라만 간다. 그러다 가끔은 목감기에 걸려 골골대며 "팀장님, 오이소박이 두 개만 추가해 주세요" 하는 내 부탁에, "에이, 아픈데 그런 것까지 신경 쓰지 마"라며 시원하게 웃는 팀장님의 목소리에 찔끔 눈물을 흘리고, 엄마들이 울었던 그 둑방 길에서 나도 차를 멈추어 가끔은 눈물을 삼키면서, 어제보다 오늘은 조금이라도 더 성장할 수 있기를 바란다.

바람 없는 바다는 아무도 항해할 수 없다고 되새기며 하루하루 걸어나간다.

인터뷰

기적과도 같은 일이 생긴 거야

사장님 이야기

"어머, 모녀가 여행 왔나 봐요."

목포에서 무화과를 사려니 과일 가게 사장님이 말씀하셨다. 아닌데요, 사장님 모시고 출장 왔는데요, 하려고 했는데 우리 박 사장님이 선수를 치셨다.

"네~ 딸이랑 둘이 왔어요."

사장님이자 엄마가 태어난 옛 고향 흑산도로 출장을 가는 길이었다. 산지도 둘러보고, 외가 친척들께도 인사를 드렸다. 홈쇼핑 방송을 마치고 용산에서 KTX를 타고 목포로 내려오는 동안 마음이 새삼스러워 혼났다.

"엄마랑 같이 일하니까 좋으냐."

자정 방송이 끝나고 사장님을 모시고 집으로 오는 길이면, 사장님은 어느새 퇴근해서 엄마로서 묻고는 한다. 온갖 말이 차오르지만 항상 '당연하지' 하고 대답한다. 엄마와 둘이 기차를 타고 가는 동안에는 엄마가 그 질문을 하지 않기를 바랐다. 왠지 눈물이 날 것만 같아서다. 호남평야가 이어질 무렵, 창밖을 바라보던 엄마가 문득 말했다.

엄마　　나는 늦머리가 트였나 봐. 어렸을 때 나는 맨날 기죽어서 다녔거든. 아부지 사업하다 망하고, 도시락도 못 싸가니까 나는 맨날 기가 죽어서, 내가 멍청한 줄 알았거든. IQ도 90밖에 안 나오고.

나　　엄마가 뭐가 멍청해. 눈빛 봐봐. 세상에 눈이 이렇게 번쩍번쩍한 사람이 어딨다고.

엄마　　그치? 내 눈빛 아직 안 죽었지? 난 내 눈빛이 죽을까 봐 그게 제일 무서워. 어린 그때도 제주도 동문 로터리에서 동홍동 가는 길에 앉아 있던 할머니들이 그랬거든. "뉘집 딸이고? 이담에 한 가닥지 하게 생겼쩌. 눈이 빤짝빤짝한 게."

이제 그 할머니들은 다 세상을 뜨고 없겠지만, 그 할머니들이 하늘에서 '이것 보라고 내 말이 맞았지' 할 게 틀림없다.

엄마 뭐야, 뭘 적는 거야.

나 드라마 하나 맨들어야지.

엄마 으이구, 맨날 적긴 뭘 적어.

엄마가 멋있는 말을 할 적마다 나는 핸드폰이나 메모지에 적고는 하는데, 그때마다 엄마는 질색팔색하며 싫어한다. 그러면서도 말을 잇는다.

엄마 내 젊은 시절은 남 이자 벌어주다가 다 갔네.
그 귀하디귀한 40대, 50대를 남 이자 벌어주다가 다 갔네.

세상은 10대, 20대만 귀한 것처럼 말하지만, 엄마의 시간 속에서는 40대, 50대가 귀하디귀했구나. 엄마는 내가 아는 사람 중에 날이 갈수록 가장 많이 멋져지는 사람이다. 최근에 엄마는 영어 공부를 새로 시작했다. 알파벳도 어찌나 호쾌하게 쓰는지 모른다. 더듬더듬 알파벳을 읽어나가는 엄마를 보면 나는 그의 5년 후, 10년 후가 더 기대된다.

엄마 송아지 일곱 매리로 시작해서, 건물 지었지. 논만 생기면 만삭 소 사느라 돈을 다 쓰고. 우윳값 조금이라도 더 받으려고. 니네 아빠는 내가 많은 돈 다 꼬라박았다 하지만, 내가 한발 앞섰으니까 그런 거지.

이 공장은 기적이야. 처음에 나는 정말, 장독대 몇 개 가지고 조그맣게 하려고 했는데. 어찌 보면 세상이 그렇게 두질 않은 거지. 그때 하필 HACCP 도입이 의무화되어서, 급식을 하려면 HACCP 설비를 꼭 해야 한다니까. 내가 아무것도 모르고 그 기준에 맞춰 설비를 까느라 돈을 다 날렸지. 그때 내가 그 많은 기계를 보면서 생각했어. 야, 이 큰 생산 라인을 어떻게 감당하나. 이 많은 김치를 언제 다 만들어서 어디다 파나.

그러니까 누가 HACCP을 잘 안다고 해서 사람을 하나 데려왔는데, 너 우리 공장 앞마당에 왜 그렇게 콘테이나가 많은지 알아? 그게 다 그 사람이 사 온 거야. 그때 그 사람이 사무실 사람도 막 뽑고, 포기 여사들도 잔뜩 데려오고, 그러니까 사람들 둘 데가 없어서 콘테이나를 또 샀지.

나는 그때 판로 찾는다고 밖을 막 돌아다니느라 현장이 엉망된 줄도 모르고. 내가 어느 날 현장에 들어갔더니, 세상에 팔레트는 왜 이렇게 많이 샀으며, 제품도 안 나오는데 피박스는 왜 공장 구석구석 산더미로 깔려 있으며… 오죽하면 사람 지나다닐 틈도 없어. 내가 왜 현장 가면 '정리 정돈, 정리 정돈' 하는지 알아? 내가 그때 알았어. 동선이 나와야 제품이 나오는데, 이렇게 해가지고서는 그 많은 사람으로도 하루 10톤을 겨우 만드는 거야. 아주 고춧가루 칠갑을 해가면서 밤을 새워야 됐으니까. 그래도 나는 그 사람을 믿었지. 그렇게 꼬라박은 돈이 80억이야. 내가 그 돈만 안 썼어도, 지금 이렇게 고생하지 않았을 거야. 내가 그렇게 압류를 당해가며, 그렇게 협박을 당해가며 그러지 않았을 텐데…. 그 생각만 하면 아직도 이 가슴이, 이 가슴이 무너져. 그래서 내가 현장을 못 비웠던 거야. 내가 없으면 안 된다. 아무리 몰라도 내가 있어야 된디. 내가 다 알아야 된다.

이렇게 아무것도 모르는 아줌마가 저 드센 남자들이랑 싸우려면 얼마나 힘들었겠냐. 원재야, 너도 더 강해져야 한다. 하지만 너 못하겠으면, 너는 이 고생 하지 마라. 고생은 내가 한 걸로 됐지. 이 공장은, 정말 기적과도 같은 일이 일어난 거야. 너희 깜냥이 안 될 것 같으면 나는 미련도 없다.

이상하게 나는 이 말을 들을 때마다 더 미련이 생긴다. 이 공장을 어떻게든 잘 이어가야겠다는 다짐을 하게 된다. 공장에 비해 내가 너무 작지만, 어떻게든 또 되겠지.

엄마 어머, 이 무화과 맛있네. 이거 바타랑 애들 좀 챙겨주자.

나 엄마는 왜 맨날 그분들만 챙겨. 다른 직원분들이 섭섭할 거 아냐.

엄마 이 큰 사업을 하면서 어떻게 일일이 다 잘해줘.

잘해주면 그 사람들이 다 이끌고 올라가는 거야.

나 그런 건가.

엄마 그래.

나 나는 엄마처럼은 못할 것 같은데.

엄마 니가 왜 나처럼 하냐. 너는 너처럼 해야지. 나처럼 또 어떻게 해. 나도 어릴 때는 얼마나 소심하고 여렸는데. 근데 하다 보니 방법이 생겨서 한 거지.

나 그런 거지?

엄마 그래, 이제 내가 늙어서 '아이고 원재야~ 엄마는 이제 못하겠다' 하면 니가 얼른 잘 맡아서 해봐. 그러니까 얼른 일 배워라.

잠깐 말을 멈추고

엄마 나는, 아주 멋지게 살 거야. 앞으로 더 멋지게 살 거야. 영어도 배우고, 피아노도 배우고, 더 많은 사람들 도와주면서 정말 멋지게 살아볼 거야.

또 말을 멈추고

엄마　　원재야, 너도 멋지게 살아.

대답이 어렵다.

엄마가 아주 오래오래 멋지기를 바란다.

김치 공장 블루스

1판 1쇄 인쇄 2023년 2월 23일
1판 1쇄 발행 2023년 3월 8일

지은이 김원재

발행인 양원석 **편집장** 차선화 **책임편집** 이슬기
디자인 최승원 **영업마케팅** 윤우성, 박소정, 이현주, 정다은, 백승원

펴낸 곳 ㈜알에이치코리아
주소 서울시 금천구 가산디지털2로 53, 20층(가산동, 한라시그마밸리)
편집문의 02-6443-8916 **도서문의** 02-6443-8800
홈페이지 http://rhk.co.kr **등록** 2004년 1월 15일 제2-3726호

ISBN 978-89-255-7685-5(03810)